ÉMILIE GAUTHIER

RÉVOLUTION
SANDWICHS

TRÉCARRÉ
Une société de Québecor Média

Catalogage avant publication de Bibliothèque et Archives nationales du Québec et Bibliothèque et Archives Canada

Gauthier, Émilie, 1978-
    Révolution sandwichs
    ISBN 978-2-89568-640-8
    1. Sandwichs. 2. Livres de cuisine. I. Titre.
TX818.G38 2015   641.84   C2015-940320-0

Édition : Miléna Stojanac
Révision linguistique et correction d'épreuves : Céline Bouchard et Catherine Fournier
Couverture, grille graphique et mise en pages : Chantal Boyer
Photos : Mathieu Laverdière, sauf les pages 38, 44, 48 et 53 : Marc-Olivier Bécotte
Photo de l'auteure : Sarah Scott

Remerciements
Nous reconnaissons l'aide financière du gouvernement du Canada par l'entremise du Fonds du livre du Canada pour nos activités d'édition. Gouvernement du Québec – Programme de crédit d'impôt pour l'édition de livres – gestion SODEC.

Les Éditions du Trécarré
Groupe Librex inc.
Une société de Québecor Média
La Tourelle
1055, boul. René-Lévesque Est
Bureau 300
Montréal (Québec) H2L 4S5
Tél. : 514 849-5259
Téléc. : 514 849-1388
www.edtrecarre.com

Dépôt légal – Bibliothèque et Archives nationales du Québec et Bibliothèque et Archives Canada, 2015

ISBN : 978-2-89568-640-8

Distribution au Canada
Messageries ADP inc.
2315, rue de la Province
Longueuil (Québec) J4G 1G4
Tél. : 450 640-1234
Sans frais : 1 800 771-3022
www.messageries-adp.com

Diffusion hors Canada
Interforum
Immeuble Paryseine
3, allée de la Seine
F-94854 Ivry-sur-Seine Cedex
Tél. : 33 (0)1 49 59 10 10
www.interforum.fr

SOMMAIRE

« La gastronomie est l'art d'utiliser la nourriture pour créer le bonheur. »

THEODORE ZELDIN

INTRODUCTION

Ceci n'est pas un livre de cuisine pour vous apprendre à gagner du temps, ni pour vous aider à récupérer vos restants pour la boîte à lunch des enfants, ni même pour économiser de l'argent. Il n'a pas la prétention de proposer des recettes aphrodisiaques (quoique…) et ne promet surtout pas de vous faire perdre quinze livres en deux semaines. Vous aurez été averti !

Ce livre vous suggère plutôt une façon différente de manger. Au lieu de simplement « se nourrir », je souhaite qu'on prenne conscience des merveilleuses sensations que l'acte de manger peut nous procurer tous les jours. Je prône un mouvement, celui de la cuisine de rue, la « nouvelle » cuisine de rue, celle qui incite à la gourmandise et aux mets inusités, qui permet les rapprochements et qui a donné naissance à une nouvelle gastronomie, accessible et sans prétention !

Êtes-vous partant ? Je m'adresse aux curieux, à ceux et celles qui hébergent la gourmandise et le goût de la vie. Mon livre s'adresse aussi à ces personnes en manque de temps, ainsi qu'à ceux qui ont appris à se nourrir de façon pratique et utilitaire. Je me donne comme mission de convaincre ces derniers d'introduire la vitamine G, pour « gourmand » et « gastronomie », dans leur quotidien. Je vous promets qu'elle sera en mesure de vous apporter les mêmes bienfaits qu'une dose d'oméga 3 jumelée à un fou rire entre amis.

Il y a trois ans, je me suis retrouvée en arrêt de travail pour une durée indéterminée. Ne pouvant rester sans défis, j'en suis venue rapidement à la conclusion que c'était l'occasion rêvée de me rapprocher de ma passion pour la cuisine. Quelques mois plus tard, j'ouvrais la fenêtre de service du camion *La Mangeoire…* Une expérience brève, mais extrêmement enrichissante. Un *food truck*, oui, parce que je m'étais mis dans la tête, comme bien d'autres, que c'était la formule parfaite pour débuter dans l'industrie, mais d'abord et avant tout parce que je suis une amoureuse inconditionnelle de cette forme de gastronomie. Dans la mesure où elle représente la vie, la culture, la créativité et où elle incite à la convivialité, la cuisine de rue est, à mes yeux, le pouls d'une ville et le reflet de sa personnalité !

- Sandwiches

C'est lors d'un voyage à Paris, ville de toutes les sensations, que m'est venue l'envie de mieux comprendre les sens afin de pouvoir les maîtriser. J'ai décidé d'entreprendre ma quête en partant d'un canevas optimal. L'heureux élu ? Le Sandwich. Pourquoi ? D'abord parce que j'avais le sentiment que ma thèse sur le sujet, amorcée par le projet de *La Mangeoire*, était inachevée, et ensuite parce que, selon moi, le sandwich est une façon simple et efficace de livrer une bouchée parfaitement équilibrée… Une telle bouchée, qui remplit d'euphorie l'espace d'un moment et qui éveille nos sens, contient tous les éléments nécessaires pour l'harmonie ultime ! Toutes les recettes de ce livre, sans exception, sont construites en respectant cette philosophie, et les options Houmpf les mènent plus loin encore. Comme le cuisinier garde le contrôle jusqu'à la toute fin de l'expérience et que l'architecture de la bouchée est établie, il est important de respecter les étapes du montage données à chaque recette.

À mon retour de Paris, ma recherche s'est poursuivie, très souvent au marché Jean-Talon, à Montréal, mon inépuisable source d'inspiration. Mais c'est aussi et surtout au centre de ma propre cuisine que les idées se sont réellement mises à danser, au cœur de la maison. Je ne suis pas une chef : je ne suis pas allée à l'ITHQ, je n'ai pas fait mes classes dans le sud de la France auprès d'un vieux chef étoilé ni approfondi mes connaissances dans la cuisine du *El Bulli*, en Espagne, ou du *Noma*, au Danemark, à apprendre comment rendre de la terre et de la cendre comestibles ou comment donner à une bulle d'air le goût de l'olive verte. Avec le temps, j'ai appris à monter une sauce hollandaise, à désosser et ficeler un rôti efficacement et à faire mes pâtes et mon pain. Je n'adopte probablement pas la technique des vieux routiers. En fait, je suis persuadée que la mienne serait grandement critiquée par le jury des *Chefs*, mais mon but est beaucoup plus simple : je veux faire de bons plats dans le but d'apporter un peu de bonheur fugace autour de moi. De façon générale, j'y parviens !

Je me vois encore, toute petite, accotée sur le coin du four à regarder ma mère brasser, goûter et assaisonner en tentant, du mieux qu'elle pouvait, de répondre à mes inépuisables questions : « C'est quoi ça ? Et ça ? Pourquoi tu mets ça dedans ? Pis ça avec ça ? » Chez moi, il n'y avait rien d'« ordinaire » à table. Quand nous mangions du pâté chinois, il était gratiné au vieux cheddar. Quand nous mangions des spaghettis à la viande, la sauce était faite avec de l'orignal ou du chevreuil. Et quand on sortait vraiment des sentiers battus, alors là on tombait dans la crêpe de cervelle de veau, dans les langues de morue panées ou encore, mon préféré, dans le ragoût de cœurs de poulet. Ces extravagances étaient tout à fait normales à mes yeux d'enfant, jusqu'au moment où il était temps de déballer mon lunch à l'école primaire. C'est là que je réalisais que j'avais une mère hors norme et que, tout à coup, l'intérieur de ma boîte en métal à l'effigie de Cendrillon devenait un peu moins affriolant! J'enviais les Babybel, les Yop et même les sandwichs au «baloney» de mes camarades de classe, qui, eux, regardaient avec horreur mon guacamole oxydé. Aujourd'hui, je remercie ma mère, car c'est son excentricité, sa curiosité, son appétit et son talent qui ont fait de moi une épicurienne sans limites… peu importe le nombre de Jos Louis que j'ai pu jalouser!

Les années ont passé, et malgré que je n'en aie pas fait un métier, la cuisine a conservé une place immense dans ma vie, que ce soit en essayant les nouveaux restaurants, en collectionnant les livres et les magazines gastronomiques, en tentant toutes sortes de nouvelles techniques et en organisant des soupers d'amis qui se transformaient en sport quasi olympique. Cela dit, les médailles d'or se sont faites rares, j'ai accumulé les défaites, mais j'ai appris et j'ai cultivé mes sens. Et, surtout, j'ai retiré et je retire encore une satisfaction inégalable à réunir des gens autour d'une table et à provoquer des sensations, quelles qu'elles soient!

Imaginez: se faire inviter pour manger chez un voisin différent tous les jours, avoir l'occasion de goûter à d'autres origines, à différentes racines, découvrir de nouvelles visions, un nouveau langage culinaire… N'est-ce pas une façon délicieuse d'élargir nos horizons et d'entrer en contact avec notre communauté?

Dans les pages qui suivent, vous découvrirez des recettes qui sont le reflet de cet amalgame culturel qui nous distingue au Québec, des ingrédients à l'image d'une société en évolution et des compositions à la hauteur de notre appétit. Ne vous laissez pas impressionner par certaines composantes inconnues, ce livre est à la portée de tous. Je vous conseille d'y plonger comme si vous partiez en voyage… avec tous vos sens en alerte! Et parce que ce voyage est possible à l'intérieur même de nos frontières et que la cuisine est la sève d'un peuple, je vous invite à venir puiser dans nos richesses.

Bon appétit!

Émilie

LA DÉLICIEUSE EST UN HOMMAGE À MON ENFANCE, à mes *road trips* en direction de chez ma grand-mère, à Sainte-Anne-des-Monts, à ces moments précieux où ma mère nous faisait arrêter dans un casse-croûte sur le bord de la mer pour savourer ce mets unique de la Gaspésie, le *club sandwich* au homard avec œuf au plat ● Évidemment, la recette a été romancée un brin, question de satisfaire mes critères gourmands.

LA DÉLICIEUSE

POUR 1 *CLUB SANDWICH*

3 tranches de pain au lait blanc
1 œuf
Sel et poivre
Mayonnaise au citron
   (recette p. 98)
200 g de homard
   (de la Gaspésie de préférence)
Tomates confites
   (recette p. 106)
Roquette fraîche

↳ *Le pain est primordial dans cette recette. Je suggère donc d'aller dans une boulangerie artisanale et de vous procurer une miche de pain au lait ou un carré blanc de première qualité.*

↳ *Pour commencer, il est préférable de préparer les tomates confites, parce qu'elles sont longues à cuire. Ensuite, préparer la mayonnaise au citron.*

MONTAGE

Beurrer les 3 tranches de pain de chaque côté et faire griller dans une poêle. Faire frire un œuf au plat dans la poêle à feu doux sans laisser le jaune durcir. Assaisonner.

Étendre une généreuse couche de mayonnaise au citron sur les côtés intérieurs des 3 tranches de pain.

1er étage : homard salé et poivré + 3 morceaux de tomates confites

2e étage : œuf au plat + 1 poignée de roquette

OPTION HOUMPF

Faire de l'huile de ciboulette (recette p. 105) et en verser un léger filet sur la roquette.

CE SANDWICH REPRÉSENTE L'IMAGE que je me fais du mets de rue parfait : c'est gros, mais pas trop ; c'est interdit lors des « premières rencontres » ; et l'alliance des légumes racines crus, croquants et acidulés avec le porc fondant enveloppé de sa sauce BBQ, juste assez sucrée et juste assez épicée, le rend gourmand à souhait !

LE ROUGE-GORGE

POUR 4 OU 5 SANDWICHS

1 kg de côtes de dos de porcelet
   (*baby back ribs*)

MARINADE SÈCHE

8 g de poudre d'oignon
8 g de paprika fumé de bonne qualité
8 g de moutarde en poudre
8 g de cassonade
8 g de sel
8 g de poivre
1 bière

SAUCE BBQ

100 g de ketchup
65 g de mélasse
1 c. à t. de fumée liquide
3 cl de vinaigre de cidre
10 g de sauce piquante*
4 cl de racinette (*root beer*)
   ou de jus de pomme

* Si vous préférez une sauce BBQ moins épicée, réduisez la portion de sauce piquante à 5 g.

SALADE DE CHOU

50 g de betterave en julienne
50 g de céleri-rave en julienne
50 g de pomme Granny Smith en julienne
1 oignon vert en julienne
Jus de ½ citron
7 g de persil italien
Sel et poivre
15 g d'huile d'olive

3 pains portugais
Mayonnaise de base
   (recette p. 98)

Préchauffer le four à 325 °F.

Enlever la membrane du porc : faire une incision avec un couteau à l'une des extrémités arrière de la pièce de côtes, et avec un linge sec, tirer la peau délicatement jusqu'à l'autre extrémité. Cette procédure est nécessaire pour permettre à la marinade de bien pénétrer la viande et pour s'assurer que cette dernière soit divinement tendre.

Mélanger tous les ingrédients de la marinade à l'exception de la bière. Gâter le « dos de porcelet » d'un massage en profondeur avec le mélange d'épices. Disposer les pièces dans une lèchefrite et verser la bière sur la viande. Couvrir d'un papier d'aluminium et enfourner pendant 2 heures et demie. Pendant ce temps, préparer la sauce BBQ. Mélanger tous les ingrédients dans une petite casserole, amener à ébullition et laisser mijoter à feu moyen pendant environ une demi-heure ou jusqu'à ce que la préparation réduise d'un pouce. Laisser reposer.

Préparer la salade de chou. Mélanger les légumes et le fruit, le jus de citron, le persil, le sel et le poivre. Attendre à la dernière minute avant d'y ajouter l'huile d'olive.

Lorsque les côtes sont cuites, détacher la viande des os en faisant attention de bien enlever tous les petits os cachés ainsi que les nerfs et les gros morceaux de gras. Mettre la viande dans un grand bol et mélanger à la sauce BBQ.

MONTAGE

Couper le pain en deux et faire griller légèrement. Étendre une bonne couche de mayonnaise des deux côtés, y déposer une généreuse portion de porc BBQ et finir avec la salade de chou croquante...
Et *crunch* !

CE SANDWICH A ÉTÉ CRÉÉ pour rendre hommage à notre Marina nationale, la magnifique Orsini, qui a généreusement participé à la campagne de financement du camion de cuisine de rue *La Mangeoire* • La Marina est un clin d'œil à ses origines italiennes, mais également à quelques-uns de ses péchés mignons.

LA MARINA

POUR 3 OU 4 SANDWICHS

BOULETTES DE VIANDE
(Donne 14 boulettes de taille moyenne)
¼ tasse de chapelure de pain sec
¼ tasse de lait entier
½ c. à t. de paprika fumé
¼ lb de bœuf haché
¼ lb de veau haché
¼ lb de porc haché
1 c. à t. de sel et poivre
1 gousse d'ail
½ tasse d'oignon blanc haché
1 œuf
½ tasse de parmesan frais râpé
1 c. à s. de persil italien haché

1 c. à s. de beurre
2 c. à s. d'huile d'olive

SAUCE TOMATE
½ tasse d'oignon blanc haché
1 boîte de tomates italiennes de
    première qualité (14 oz/400 ml)
1 gousse d'ail
Sel et poivre
1 c. à s. d'huile d'olive

6 tranches de fromage
    (mozzarella, gruyère ou cheddar)
3 ou 4 pains portugais frais,
    coupés en deux
Quelques lamelles de poivron mariné
    (recette p. 106)
Quelques feuilles de persil italien
Mayonnaise de base
    (recette p. 98)

Commencer par faire les boulettes de viande. Mettre le pain sec en chapelure dans un petit bol et submerger de lait et du paprika fumé. Bien amalgamer tout le reste des ingrédients et finir en ajoutant le mélange de chapelure et lait. S'assurer que la texture se tienne suffisamment pour former des boulettes ; si le mélange est trop liquide, ajouter de la chapelure, et s'il est trop dense, ajouter du lait. Façonner les boulettes. Une fois qu'elles sont terminées, faire fondre 1 c. à s. de beurre et 2 c. à s. d'huile d'olive dans une poêle chaude et saisir les boulettes de chaque côté jusqu'à ce qu'elles soient bien croustillantes et dorées. Transférer dans un plat et laisser reposer.

Préparer la sauce tomate. Faire revenir l'oignon dans la poêle ayant servi à saisir les boulettes en conservant le gras. Ajouter les autres ingrédients et amener à ébullition, ajouter 1 c. à s. d'huile d'olive. Baisser le feu à moyen et laisser frémir 30 minutes. Incorporer les boulettes et laisser cuire pendant encore 30 minutes, le temps qu'elles deviennent les meilleures amies du monde…

MONTAGE

Faire fondre les tranches de fromage d'un côté du pain portugais, y disposer 4 ou 5 boulettes, quelques lamelles de poivron mariné et quelques feuilles de persil. Tartiner de la mayonnaise de base sur l'autre tranche de pain, fermer et déguster !

OPTION HOUMPF

Ajoutez-y
quelques feuilles
de coriandre
fraîche !

VOUS CONNAISSEZ LA DESTINATION PAR EXCELLENCE de bon nombre de familles québécoises en été ? Là où les enfants adorent aller pour les magasins de bonbons dignes du film *Charlie et la chocolaterie* ; là où l'on mange du homard avec des bavettes en plastique ; là où il est pratiquement impossible de se baigner même en août parce que l'eau est si froide que je la soupçonne d'être en mesure de nous cryogéniser ; là où l'on retourne année après année pour l'effet « exotique » et la merveilleuse chaudrée de palourdes, le célèbre *clam chowder*... Le Maine !

Si vous y êtes allé, vous avez probablement déjà mangé un gros filet de poisson blanc pané avec sauce tartare dans un pain à hamburger... La recette qui suit s'en inspire, mais attention, il a fallu lui donner un peu plus de personnalité ● La solution : du kimchi, une recette coréenne traditionnelle composée de légumes (généralement du chou chinois), de piments et d'épices, puis fermentée pendant plusieurs jours, voire plusieurs semaines dans le but de créer un condiment exceptionnel.

LE MAINE

POUR 2 SANDWICHS

SAUCE TARTARE
¼ tasse de mayonnaise de base
   (recette p. 98)
1 c. à t. de câpres hachées
1 c. à s. de cornichons finement
   hachés
1 échalote finement hachée

AIGLEFIN FRIT
Huile de canola pour la friture
½ tasse de farine à tempura
Sel
½ tasse de Ginger Ale
1 filet d'aiglefin

2 pains à hamburger ou
   petits pains au lait
Kimchi
   (recette p. 104)

Mélanger tous les ingrédients de la sauce et laisser patienter au frais.
Faire chauffer l'huile dans une friteuse ou dans une grande poêle profonde. La température de l'huile doit se situer autour de 350 °F ou 180 °C (un thermomètre à friture est de mise).
Mélanger rapidement la farine, le sel et le Ginger Ale bien froid à l'aide d'une fourchette. Saler le filet d'aiglefin et l'enrober de mélange. Faire frire le poisson jusqu'à ce qu'il soit parfaitement doré, environ 4 minutes. Déposer sur du papier absorbant.
Faire réchauffer le pain à la vapeur (utiliser idéalement un bain-marie à trous ou un panier en bambou). S'assurer de mettre un linge sous le pain pour empêcher qu'il devienne mouillé.

MONTAGE
Étendre une bonne quantité de sauce tartare sur les deux côtés du pain, déposer le poisson frit et garnir de kimchi. Hip hip hip... hourra !

Il y a de ces agencements culinaires qui font spontanément la paire ● Le boudin et la pomme en sont un bon exemple, leur mariage est naturel et harmonieux ● Mais aujourd'hui, j'ai envie de briser cette coutume en proposant au boudin noir d'épouser plutôt sa copine la poire ● Pas si déroutant, vous me direz ● Mais alors, pourquoi on ne les voit pas folâtrer ensemble plus souvent ? Pourtant, la complicité est stupéfiante ● À mes papilles, elle l'est même davantage que celle du boudin avec la pomme.

« Ils se marièrent et eurent beaucoup d'enfants » : les jumeaux l'oignon et le poireau, suivis de la roquette sauvage et, finalement, de la petite dernière… la béchamel.

LE PYRUS

Pour 2 sandwichs

1 poire Bosc
1 c. à t. de beurre
1 c. à s. de cassonade
1 pincée de sel
4 feuilles de pâte feuilletée
   d'environ 14 cm × 10 cm
½ poireau
½ oignon blanc
1 c. à s. de beurre
Sel et poivre
1 boudin de première qualité
   (environ 200 g)
Sauce béchamel
   (recette p. 101)
Roquette sauvage

Enlever la peau et le cœur de la poire, puis la couper en 8 quartiers. Faire fondre le beurre, la cassonade et le sel dans une poêle à feu moyen et y introduire la poire jusqu'à caramélisation. Sur 2 des feuilles de pâte, déposer 4 quartiers de poire chacune. Sur les 2 autres feuilles de pâte, percer des petits trous avec un pic à fondue ou un cure-dent sur toute la surface pour que la pâte ne lève pas trop en cuisant et reste plate comme une tranche de pain. Mettre les 4 feuilles de pâte au four à 375 °F pendant environ 20 minutes ou jusqu'à ce que le tout soit bien doré et croustillant.

Pendant ce temps, hacher le poireau et l'oignon et faire sauter à la poêle à feu moyen-doux dans 1 c. à s. de beurre. Soyez patient : l'idée est de les faire caraméliser et non frire. Saler et poivrer au goût.

Couper le boudin en deux sur la longueur puis en deux sur la largeur pour que chaque sandwich en ait deux morceaux. Les faire cuire dans la poêle à feu moyen avec un peu d'huile jusqu'à ce qu'ils soient bien grillés.

Préparer une portion de béchamel.

Montage

Déposer les morceaux de boudin sur la tatin de poire, ajouter une portion d'oignon et de poireau caramélisés et un peu de roquette sauvage fraîche, puis finir en badigeonnant les 2 autres pièces de pâte avec de la béchamel. Tenter de fermer les sandwichs sans perdre trop de bonheur et… plonger !

J'AI ENFIN VISITÉ UN DE SES RESTAURANTS de Londres, cette année : un espace épuré, une cuisine étonnante et audacieuse, mais sans aucune prétention... Un air de chez nous, avec une note d'histoire et de folie ● Fergus Henderson a été un des premiers chefs à nous inciter, entre autres, à considérer les parties moins « nobles » d'un animal en les traitant lui-même avec autant de respect et d'intérêt que tout le reste de la bête ! Si la langue de porc dans le vinaigre que mon père mangeait quand j'étais jeune m'avait été présentée d'une façon aussi élégante, je ne me serais probablement pas bouché le nez avec un dégoût sans nom chaque fois que le pot en verre était dévissé dans la cuisine de mon enfance !

Ce sandwich est un hommage à ce savant fou, à cet attachant chef anglais qui m'a conquise par sa simplicité créative ● Merci, Fergus !

LE FERGUS

POUR 3 OU 4 SANDWICHS

Pain de campagne
(recette p. 111)
1 langue de veau
d'environ 600 g

SAUMURE
50 g de gros sel
½ c. à t. de grains
de poivre
1 branche de thym
2 petits piments forts
1 gousse d'ail
Eau

POUR LA CUISSON
1 gousse d'ail
1 carotte
1 oignon
2 petits piments forts
1 bouquet garni
Grains de poivre
Graines de coriandre
Eau
Beurre

BETTERAVES
BRAISÉES
3 betteraves
Huile d'olive
Sel et poivre
Miel

Mousse de raifort
(recette p. 101)
Cresson frais

Il faudra s'y prendre une journée d'avance pour le pain et la préparation de la langue. Premièrement, faire le pain de campagne. Préparer la saumure dans un plat hermétique. Mélanger tous les ingrédients et ajouter assez d'eau pour couvrir la langue et dissoudre le sel. Y déposer la viande. Laisser mariner au réfrigérateur pendant la nuit (de 8 à 12 heures). Transférer la langue de veau dans un grand chaudron avec l'ail, la carotte et l'oignon coupés grossièrement. Ajouter les piments, le bouquet garni, quelques grains de poivre noir et quelques graines de coriandre, et couvrir le tout d'eau. Laisser frémir doucement pendant 2 heures et demie. Ne pas laisser bouillir.

Pendant ce temps, peler les betteraves et les couper en tranches moyennes, les étendre sur une tôle, badigeonner d'huile d'olive en s'assurant que toutes les tranches de betterave en sont enduites. Saler et poivrer, puis arroser d'un filet de miel. Cuire à 350 °F pendant environ 1 heure.

Une fois la langue bien tendre, retirer la membrane qui l'enveloppe. La couper sur la longueur en tranches d'environ 1 cm. Faire griller à la poêle dans une noix de beurre, pour que l'extérieur soit bien croustillant mais que l'intérieur reste tendre.

MONTAGE

Faire griller les tranches de pain, étendre de la mousse de raifort des deux côtés, déposer 2 tranches de langue, une poignée de cresson et finir avec des tranches de betterave braisées ! Cette combinaison gourmande devrait vous réconcilier avec cette partie méconnue des animaux.

PEUPLE AUTOCHTONE DE L'AFRIQUE DU NORD, les Berbères sont les ancêtres des Maghrébins d'aujourd'hui, les créateurs de la merguez, tête d'affiche de ce sandwich ● J'ai découvert la merguez très jeune grâce à une amie de la famille qui venait du Moyen-Orient et qui nous en apportait régulièrement ● Ma mère les faisait griller et nous les servait accompagnées d'une sauce au yogourt et à la menthe, un accord absolument impeccable ! Pour moi, le summum, en cuisine, c'est le mariage des âmes sœurs, l'équilibre des saveurs complémentaires, la valse que produisent les aliments familiers dès la première bouchée ● Le Berbère est un séducteur !

LE BERBÈRE

POUR 1 OU 2 SANDWICHS
120 g de chair de merguez
3 tranches de cheddar fort
1 ou 2 pains ciabatta,
    coupés en deux
½ avocat
Quelques tranches d'oignon rouge,
    très fines
Quelques feuilles de coriandre
Mayonnaise de base
    (recette p. 98)

Faire revenir la chair de merguez dans une grande poêle en remuant constamment avec une cuillère de bois jusqu'à ce qu'elle s'émiette et se transforme en divin *crumble* croustillant, puis qu'elle s'enrobe naturellement de son huile dorée.

MONTAGE

Faire gratiner le fromage sur un des deux morceaux de ciabatta. Y déposer ensuite la chair de merguez avec son jus, l'avocat tranché, l'oignon et la coriandre fraîche. Badigeonner le second côté du pain d'une généreuse couche de mayonnaise et fermer le tout ! Bienvenue dans mes fantasmes !

OPTION HOUMPF

Je suggère d'ajouter des tranches de citron confit, un condiment qui se marie parfaitement aux saveurs maghrébines (recette à la p. 106).

CE SANDWICH est le résultat d'une réflexion gourmande entre moi et mon équipe alors que nous cherchions à unir des opposés pour créer rien de moins que la perfection : du vert, du rouge, du frit, du frais, du croustillant et du moelleux... La Cocotte donne l'impression de croquer dans la vie à pleines dents l'espace d'un moment !

LA COCOTTE

POUR 4 SANDWICHS

POULET BRAISÉ
750 ml d'eau froide
¾ tasse de sucre
¾ tasse de sel
4 cuisses de poulet bio désossées

TOMATES CONFITES AU BACON
90 g de tomates cerises
½ tasse de gras de bacon
1 gousse d'ail
Sel et poivre

CHIPS DE CHOU FRISÉ (KALE)
Quelques feuilles de chou frisé
    nettoyées
Huile d'olive
Sel

4 pains portugais
Pesto de chou frisé (kale)
    (recette p. 109)
Mayonnaise de base
    (recette p. 98)

Mélanger l'eau, le sucre et le sel dans un grand contenant hermétique. Y déposer le poulet et réserver au froid environ 2 heures.

Pendant ce temps, préparer les tomates confites. Déposer les tomates cerises dans une tôle assez profonde, ajouter le gras de bacon et l'ail, puis saler et poivrer généreusement. Faire confire au four à 250 °F environ 2 heures et demie.

Préparer les chips de chou frisé. Retirer la partie dure du centre de chaque feuille et s'assurer qu'elles sont bien nettoyées et asséchées. Les masser avec de l'huile d'olive. Saler. Étendre sur une plaque allant au four et cuire à 475 °F pendant environ 10 minutes. Elles doivent être très croustillantes sans être noircies.

Retirer le poulet de la saumure, déposer dans une lèchefrite et faire rôtir au four à 350 °F pendant 45 minutes. Une fois que le poulet est bien rôti, ajouter les tomates confites et poursuivre la cuisson à 400 °F jusqu'à ce que le poulet soit bien doré et croustillant.

MONTAGE
Trancher le pain en deux et mettre une généreuse couche de pesto sur un côté et de mayonnaise sur l'autre. Déposer le poulet sur le pesto, quelques chips de chou frisé et fermer ! Et puis ?

« AH! C'EST SI BEAU, L'AUTOMNE! » entend-on constamment ● C'est une magnifique saison, oui, mais encore faut-il être à la campagne, par une journée où le soleil enflamme les montagnes, emmitouflé dans les bras langoureux de son amoureux ou de son amoureuse, humant les effluves rassurants du braisé qui cuit tranquillement au four !

Il n'y a rien à faire, pour moi, l'automne annonce la fin des vacances et l'hiver ● Cette période me rend profondément maussade ● Mais au fil des années, j'ai fini par trouver un remède très efficace à ma déprime saisonnière : canaliser mes énergies sur ce que cette saison a de plus beau à offrir... La récolte ! Eh oui, les braisés, encore et encore ● Je n'en ai jamais assez ● C'est donc en hommage aux belles journées d'automne, celles de l'été des Indiens ou de l'été de la Saint-Martin de nos cousins français, que je vous présente un sandwich tellement réconfortant qu'il vous donnera envie de sauter l'été !

LE SAINT-MARTIN

POUR 4 OU 6 SANDWICHS

SAUMURE
3 c. à s. de sel
1 c. à s. de sucre
Eau
1 c. à t. de grains de poivre

AGNEAU CONFIT
2 jarrets d'agneau du Québec
3 litres de gras de canard

Marmelade de kumquat (recette p. 102)
Pain d'épices sans gluten (recette p. 124)
2 gousses d'ail
1 poire
1 noix de beurre
½ c. à s. de miel de sarrasin
1 morceau de foie gras frais (facultatif)
Fleur de sel ou sel de Maldon
Mâche fraîche

Il faudra s'y prendre une journée d'avance pour la préparation de l'agneau. Commencer par préparer la saumure. Dans un grand plat hermétique, dissoudre le sel et le sucre dans assez d'eau pour couvrir les 2 jarrets, ajouter le poivre et finalement la viande. Placer au réfrigérateur de 5 à 10 heures.

Préparer la marmelade.

Préparer le pain d'épices.

Le lendemain, sortir les jarrets du frigo, les rincer à l'eau froide et les assécher avec un papier essuie-tout. Les placer dans un plat en fonte émaillée ou autre, recouvrir du gras de canard fondu – la viande doit être entièrement submergée. Ajouter les 2 gousses d'ail coupées en deux, puis enfourner à 225 °F pendant 6 heures. Une fois la cuisson terminée, retirer la viande de l'os en s'assurant de se débarrasser des gros morceaux de gras.

Enlever la peau et le cœur de la poire et couper en fines tranches, faire revenir rapidement dans une poêle avec une noix de beurre et un filet de miel. Réserver.

Faire griller le foie gras rapidement dans une poêle à feu élevé. Le foie gras frais doit être saisi sur une surface très chaude, question de griller rapidement pour ne pas perdre tout son gras. Retirer du feu et saupoudrer de flocons de sel de Maldon.

MONTAGE

Couper un cube de pain d'épices en deux à l'horizontale. Faire griller l'intérieur des deux tranches dans une poêle avec un peu de beurre. Étendre une couche de marmelade d'un côté, y déposer une bonne quantité d'agneau, de la mâche, quelques tranches de poire, et finir avec le foie gras... Allez ! Nourrissons-nous d'amour !

LES AMÉRINDIENS L'ONT BAPTISÉ « PIMBINA » ● Vous connaissez la viorne trilobée, cet arbuste qui produit de petits fruits rouges plutôt surets qu'on croit réservés aux geais et aux merles ? Ma grand-mère en a, qui poussent derrière chez elle, en Gaspésie, et elle nous concocte des gelées rouges pas amères du tout avec ces merveilles ● Accompagnant le foie gras, le fromage ou, dans ce cas-ci, le porc croustillant, cette gelée nous fait complètement chavirer !

LE MERLE

POUR 3 OU 4 SANDWICHS

MARINADE
60 g de sel
1 ½ tasse d'eau
2 gousses d'ail
½ c. à t. de poivre de Sichuan
1 branche de thym
2 c. à s. de sirop d'érable

FLANC DE PORC BRAISÉ
300 g de flanc de porc sans la couenne (demander au boucher qu'il conserve quand même TOUT le gras sous la peau)

POUR LA CUISSON
1 carotte
½ oignon
Feuilles de céleri
1 branche de romarin
1 branche de thym
2 tasses de fond de veau

EMBEURRÉE DE CHOU AU GRUYÈRE
300 g de chou vert
2 c. à s. de beurre
1 c. à s. de jus de cuisson du porc
4 c. à s. de crème 35 %
1 pomme McIntosh
30 g de gruyère
Sel et poivre

Huile d'olive
3 ou 4 pains ciabatta
Gelée de pimbinas
   (recette p. 102)

Il faudra s'y prendre une journée d'avance pour préparer le porc. Mélanger tous les ingrédients de la marinade dans un plat hermétique et y ajouter le flanc de porc. Placer au réfrigérateur toute la nuit (de 8 à 12 heures). Retirer la viande de sa marinade, l'éponger et la faire saisir dans une poêle pour que l'extérieur croustille. Ensuite, la transférer dans un plat à braiser en fonte émaillée ou autre, ajouter la carotte et l'oignon coupés grossièrement, quelques feuilles de céleri, les branches de romarin et de thym et du fond de veau jusqu'à mi-hauteur de la pièce de viande. Enfourner à 300 °F pendant 3 heures.

Pendant ce temps, faire bouillir de l'eau salée dans un chaudron et y plonger le chou émincé. Faire blanchir environ 5 minutes. Retirer le chou de l'eau et le transférer dans une poêle avec le beurre. Laisser cuire à feu doux pendant 10 minutes. Ajouter le jus de cuisson du flanc de porc, la crème, la pomme en fine julienne et finalement le gruyère. Assaisonner au goût.

Couper la viande en tranches d'environ 2 cm et faire griller à la poêle dans un peu d'huile d'olive pour que les tranches soient bien croustillantes.

MONTAGE
Couper le pain ciabatta en deux et faire griller l'intérieur. Tartiner de la gelée de pimbinas sur les deux côtés, mettre deux tranches de flanc de porc chaud et une généreuse portion d'embeurrée de chou... Fermer et déguster !

Dans ma famille, on adore le Mexique! D'abord parce que ma sœur s'est mariée avec un Mexicain et nous a fait cadeau des deux plus beaux petits métis du Québec, mais aussi parce que c'est un pays splendide débordant de culture et de vie ● On y mange une cuisine riche en couleurs et en saveurs, préparée avec des aliments simples et frais, et beaucoup d'amour ● Une des premières fois où je suis tombée amoureuse, c'était à Puerto Vallarta... J'étais allée manger dans le chaleureux restaurant d'une *madre* du coin, qui m'avait cuisiné un *huachinango*, une recette typique de la côte sud du Mexique ● On parle ici d'un vivaneau ou d'un bar rayé entier grillé au four avec de la lime, de l'ail et du piment ● Cette sympathique cuisinière me l'a servi avec sa touche personnelle, que j'honorerai sans faute dans la recette qui suit : une salsa à base de tomates confites ● J'ai voulu la demander en mariage, mais mon espagnol étant plutôt pauvre, je me suis contentée de lécher l'assiette comme s'il n'y avait pas de lendemain ● Quand j'ai réalisé, douze heures plus tard, qu'il y avait en fait un lendemain, j'ai compris qu'il ne me restait plus qu'à tenter de recréer cette *felicidad*.

LE DIEGO

Pour 4 sandwichs

Tomates confites
(recette p. 106)
4 pizze fritte
(recette p. 113)
Pesto de coriandre
(recette p. 109)
Sauce au chipotle
(recette p. 101)

Huachinango
1 lime
3 gousses d'ail
2 petits piments forts
1 vivaneau ou 1 bar
rayé frais
Huile d'olive
Sel et poivre

Jicama mariné
(recette p. 106)
Papalo* ou coriandre
fraîche

* Le papalo est une herbe unique extrêmement savoureuse originaire du centre du Mexique. Son parfum vous rappellera le détergent aux agrumes, mais son goût ressemble davantage à celui de la roquette, de la menthe et de la lime. Au marché Jean-Talon, il y a un gentil Mexicain qui la cultive et la vend !

Commencer par faire les tomates confites, car elles sont longues à cuire. Ensuite, préparer les *pizze fritte*, mais ne pas se rendre jusqu'à l'étape friture. Préparer le pesto de coriandre et la sauce au chipotle.

Préchauffer le four à 350 °F.

Couper la lime en quartiers très fins, l'ail en très fines tranches aussi et le piment fort en petites rondelles. Réserver.

Bien nettoyer le poisson. Ensuite, faire des incisions sur toute la longueur (espacées d'environ 2,5 cm) à l'aide d'un couteau bien aiguisé. Glisser un morceau de lime, une tranche d'ail et une rondelle de piment à l'intérieur de chaque fente. Enduire d'huile d'olive, saler et poivrer. Enfourner pendant environ 30 minutes selon la grosseur du poisson (compter 12 minutes par livre).

Préparer les jicamas marinés. Désarêter le vivaneau en tentant de conserver le plus de chair possible, mais en se débarrassant de toutes les arêtes et de la peau. Réserver la viande au froid.

Il est maintenant temps de faire frire les *pizze fritte*...

Montage

Ouvrir les pains en deux. Étendre une couche de pesto sur un côté, puis une couche de sauce au chipotle sur l'autre. Déposer une généreuse portion de poisson sur le pesto. Ajouter quelques tomates confites, quelques feuilles de papalo ou de la coriandre fraîche, puis quelques juliennes de jicama mariné !

« MISS DAISY » POUR CANARD, vous l'aurez compris... mais cela sans vouloir entacher vos souvenirs d'enfance, bien sûr ! Ce sandwich est un clin d'œil à la ville de Pékin, où j'ai séjourné ● Lorsqu'elle est apprêtée selon les règles de l'art, cette viande est tout simplement divine... Jumelez-la à ses meilleurs alliés, et l'expérience sera sublime !

LA MISS DAISY

POUR 4 SANDWICHS

120 g de mayonnaise hoisin
   (recette p. 98)
Carottes marinées
   (recette p. 106)
80 g de bok choy
2 échalotes françaises
4 pains ciabatta
1 canard laqué de Pékin*

Le canard laqué de Pékin est une spécialité chinoise réalisée dans le respect des traditions. En général, il est cuit dans un four à bois d'arbres fruitiers pour donner des arômes uniques à la viande et nécessite bien sûr une connaissance maîtrisée des techniques de base. Pour cette raison, il est beaucoup plus simple de se le procurer déjà cuisiné chez l'un des bons marchands du quartier chinois.

Préparer la mayonnaise hoisin. Préparer les carottes marinées. Couper le bok choy en fines lamelles. Couper les échalotes en fines lamelles sur la longueur.

MONTAGE

Couper les pains ciabatta en deux et faire griller l'intérieur légèrement. Étendre une couche de mayonnaise hoisin des deux côtés. Déposer une généreuse quantité de canard avec un peu de son jus de cuisson, des échalotes, des lamelles de bok choy et, finalement, une poignée de carottes marinées. Et voilà ! *Xièxie !*

SPALLA POUR « ÉPAULE », en italien, et épaule pour épaule de porc...
À cette dernière, on ajoute herbes, amour et patience, et on obtient une
porchetta sensationnelle, la pièce idéale pour confectionner un sandwich
complètement dément ! Surtout, ne laissez pas le jus de cuisson
vous échapper... C'est la sauce la plus savoureuse qui soit.

LA *SPALLA*

POUR 4 SANDWICHS OU PLUS

PORCHETTA

1 épaule de porc sans os avec
    couenne (porc de première
    qualité, évidemment)*
2 c. à s. de sauge séchée
2 c. à s. de fenouil sauvage séché
2 c. à s. de romarin séché
2 c. à s. de flocons de piment
2 c. à s. d'ail frais
2 c. à s. de sel

RONDELLES D'OIGNON

¾ tasse de farine non blanchie
½ c. à t. de piment en poudre
½ c. à t. de poivre de Cayenne
½ c. à t. de sel
½ tasse de bière
1 gros oignon blanc
Huile végétale

4 petits pains portugais frais
Dijonnaise
    (recette p. 98)
Confiture de tomates
    (recette p. 102)

* Il est préférable de faire cuire une épaule
entière, question d'obtenir une porchetta
digne de ce nom. Vous n'aurez qu'à vous
servir de votre imagination pour
incorporer les restes de la pièce
à votre menu de la semaine !

La *porchetta* doit être préparée la veille ou le matin très tôt. Préchauffer le four à 300 °F. À l'aide d'un couteau très bien aiguisé ou d'un couteau Exacto, dessiner un quadrillé dans la couenne de porc pour y introduire les épices. Faire des trous du côté chair de l'épaule également. Mélanger toutes les épices et masser l'épaule avec ce mélange en s'assurant de bien le faire pénétrer dans toutes les ouvertures. Si la pièce ne se tient pas, il faudra la ficeler ou demander au boucher de le faire pour vous. Déposer l'épaule dans une lèchefrite assez profonde et enfourner à découvert pendant environ 5 heures ou jusqu'à ce que la viande atteigne 190 °F sur un thermomètre à viande.

Pour les rondelles d'oignon, commencer par faire la pâte à frire. Mélanger la farine, le piment, le poivre et le sel. Incorporer la bière doucement tout en fouettant pour bien amalgamer. Réserver sur le comptoir. Trancher l'oignon en tranches d'environ 1 cm d'épaisseur. Faire chauffer la friteuse ou 5 cm d'huile dans une poêle profonde – la température doit se situer autour de 350 °F ou 180 °C (un thermomètre à friture est de mise). Enrober les tranches d'oignon de pâte et déposer dans l'huile chaude. Laisser frire jusqu'à ce qu'elles deviennent bien dorées. Déposer sur un papier absorbant.

Une fois la viande cuite, couper en tranches d'environ 1 cm et laisser reposer dans le jus de cuisson.

MONTAGE

Ouvrir les pains portugais. Étendre la dijonnaise sur l'un des deux côtés du pain et badigeonner l'autre avec la confiture de tomates. Déposer deux tranches de *porchetta* imbibées de leur jus de cuisson sur la confiture de tomates et deux rondelles d'oignon sur la viande. Fermer, manger, pleurer !

UNE COMPOSITION ITALIENNE MÉRITE UN NOM ITALIEN, certes, mais comme l'agneau constitue la tête d'affiche de ce délice, j'ai cru plus juste de lui donner un nom québécois ! Pourquoi ? Tout simplement parce que le meilleur agneau, c'est nous qui l'avons ! Tout en restant dans l'esprit « romantique », je fais un clin d'œil au pays du chianti parce qu'ils sont de course, comme toujours, mais jamais, JAMAIS je n'applaudirai dans cette catégorie la Nouvelle-Zélande, d'où vient le plus souvent l'agneau que l'on retrouve dans nos assiettes au restaurant ●
Tenez-le-vous pour dit, restaurateurs québécois ! On ne veut pas de mouton néo-zélandais, on veut de l'agneau québécois ● Merci ● Et c'est sans rappeler l'absurdité de faire voyager les moutons en question depuis l'autre bout de la planète à une époque où la protection de l'environnement est d'une importance capitale !

LE JULES

POUR 2 SANDWICHS

SAUMURE
3 c. à s. de sel
1 c. à s. de sucre
1 c. à t. de poivre en grains
1 branche de thym
Eau

AGNEAU CONFIT
2 jarrets d'agneau du Québec

2 gousses d'ail sans la peau
3 litres de gras de canard
  (environ)
2 *pizze fritte*
  (recette p. 113)
Sauce au mascarpone
  (recette p. 101)

GREMOLATA DE MENTHE
ET PISTACHES
20 feuilles de menthe
Zeste de 1 citron
2 c. à s. de chair d'orange hachée
1 gousse d'ail finement hachée
2 c. à s. de pistaches grillées
  hachées

Il faudra s'y prendre une journée d'avance pour la préparation de l'agneau. Commencer par préparer la saumure. Dans un plat hermétique, faire dissoudre le sel et le sucre dans assez d'eau pour couvrir la viande, ajouter le poivre et le thym et y déposer les jarrets. Placer au réfrigérateur de 5 à 10 heures.

Le lendemain, rincer l'agneau à l'eau froide et assécher avec un linge propre ou un papier essuie-tout. Placer les jarrets dans un plat en fonte émaillée de préférence ou n'importe quel plat allant au four. Ajouter les gousses d'ail entières, recouvrir l'agneau de gras de canard fondu de façon à ne plus voir la viande et enfourner à 225 °F pour 6 heures.

Pendant ce temps, préparer les *pizze fritte*, mais ne pas se rendre jusqu'à l'étape de la friture… Il est toujours préférable de frire à la dernière seconde pour obtenir un sandwich de feu !

Ensuite, préparer la sauce au mascarpone.

Finir avec la gremolata. Hacher la menthe grossièrement. Récupérer le zeste du citron et de l'orange à l'aide d'un zesteur. Hacher la chair de l'orange finement et mélanger le tout avec l'ail haché et les pistaches.

Retirer la viande confite de son os. Enlever les veines et les gros morceaux de gras. Faire frire les *pizze fritte*.

MONTAGE
Ouvrir les pains en deux, étendre une bonne quantité de sauce au mascarpone sur les deux côtés, y déposer de l'agneau et terminer en saupoudrant généreusement de gremolata !

POUR LA RECETTE QUI SUIT, j'ai voulu honorer le saumon, ce poisson migrateur qui me rappelle l'aspect nomade de la cuisine de rue ● J'ai choisi une recette de mon père... Comme il a eu une érablière pendant plusieurs années, il nous recevait souvent avec ce saumon mariné au sirop d'érable absolument exquis ● Sous forme de gravlax et accompagné simplement, le saumon quasiment devenu du bonbon fait de ce mets le meilleur ami des journées chaudes, des pique-niques et des filles.

LE MIGRATEUR

POUR 5 SANDWICHS

GRAVLAX À L'ÉRABLE
550 g de saumon bio très frais
   (la partie la plus charnue
   de préférence, sans la peau)
85 g de gros sel
180 g de sirop d'érable

MAYONNAISE À L'ORANGE
225 g de mayonnaise de base
   (recette p. 98)
4 oranges
Poivre blanc en grains

2 concombres libanais

CÂPRES FRITES
Huile de canola
35 g de câpres

5 petites baguettes de pain

Il faudra s'y prendre deux jours d'avance pour préparer le gravlax. Déposer le saumon dans un plat profond (en pyrex ou autre). Bien étendre le gros sel sur toute la surface du poisson et y verser le sirop d'érable. Recouvrir d'un papier cellophane et déposer un poids sur le saumon (par exemple, une boîte de conserve) pour permettre à la marinade de bien pénétrer la chair et d'y apporter un maximum de saveur. Ranger au réfrigérateur pour 48 heures.

Mélanger la mayonnaise de base avec le zeste des 4 oranges, le jus de seulement l'une d'elles, et finir en assaisonnant avec le poivre blanc fraîchement moulu.

Trancher le concombre finement à la mandoline dans le sens de la longueur.

Faire chauffer l'huile de canola à environ 350 °F ou 180 °C dans une casserole profonde. Essorer les câpres et les jeter dans l'huile doucement. SOYEZ PRUDENT ! Les câpres contiennent beaucoup d'eau et produisent donc des éclaboussures en atteignant l'huile chaude. Laisser frire de 2 à 4 minutes, jusqu'à ce que les câpres s'ouvrent comme des fleurs et perdent leur brillance. Déposer sur un papier absorbant.

MONTAGE
Découper des tranches de gravlax d'environ 0,5 cm d'épaisseur avec un couteau bien aiguisé. Couper chaque petite baguette en deux, appliquer une généreuse couche de mayonnaise à l'orange des deux côtés, environ 110 g de saumon et quelques tranches de concombre, et finir avec des câpres frites !

DE NOMBREUX PAYS D'EUROPE se disputent l'origine du *Schnitzel*, mais c'est
à Vienne, en Autriche, que ce plat a vraiment été créé ● Le mot allemand
Schnitzel signifie « côtelette ». La recette originale est très simple : une côtelette
de veau ou de porc panée et accompagnée de citron ● Comme le *Schnitzel*
est savoureux en soi, j'ai cru bon de respecter sa modestie en l'accompagnant
simplement de quelques ingrédients familiers ● *Guten Appetit !*

LE VIENNA

POUR 4 SANDWICHS
4 *buns* vapeur
   (recette p. 123)
Mayonnaise au raifort
   (recette p. 98)

SCHNITZEL
1 escalope de veau
½ tasse de farine
1 œuf
½ tasse de chapelure
Beurre
Huile d'olive
Sel et poivre
Jus de citron

Cornichons dans le vinaigre
Quelques feuilles de laitue
   iceberg

Commencer par la confection des petits pains vapeur. Préparer la mayonnaise
au raifort. Réserver au froid.

Préparer trois bols : le premier avec la farine, le deuxième avec l'œuf battu et
le troisième avec la chapelure. Enrober l'escalope de farine et secouer l'excès.
Tremper dans l'œuf, puis dans la chapelure. Faire frire dans une grande poêle
avec le beurre et l'huile d'olive. Transférer sur une planche de bois. Saler et
poivrer au goût, puis arroser de quelques gouttes de jus de citron. Couper
l'escalope en quatre. Couper quelques cornichons en petites tranches.

MONTAGE

À l'intérieur de chaque pain, étendre une couche de mayonnaise au raifort, y
déposer un morceau de *Schnitzel* (couper en deux s'il est trop gros, pour en
faire deux épaisseurs) et glorifier de quelques tranches de cornichon et de
quelques morceaux de laitue iceberg tranchée pour le petit *crunch* nécessaire !
C'est tout ! Que c'est bon !

LE FORESTIER, pour champignons des bois, mais également pour faire un clin d'œil à ces oiseaux végétariens qui se nourrissent principalement dans la forêt ● Parce que, oui, ce sandwich est végétarien, mais attention, il n'est pas végétalien... Je ne pouvais m'empêcher d'y ajouter du gruyère de grotte ● Avec sa touche parfumée due à son affinage en grotte, il s'harmonise parfaitement avec le champignon, qui partage les mêmes origines humides !

LE FORESTIER

POUR 2 SANDWICHS

RAGÙ DE CHAMPIGNONS
1 échalote française
1 c. à s. d'huile d'olive
150 g de champignons de Paris*
150 g de champignons shiitake*
2 gousses d'ail
Sel et poivre en grains

Mayonnaise à l'ail confit
   (recette p. 99)

ENOKIS FRITS
Huile de canola
40 g de champignons enokis

2 pains ciabatta individuels
6 tranches de gruyère de grotte
2 œufs
Persil italien

* *Vous pouvez aussi créer votre propre mélange de champignons sauvages : cèpes, chanterelles, pleurotes...*

Dans une grande poêle, faire revenir l'échalote finement hachée dans l'huile d'olive. Ajouter les champignons émincés et l'ail haché, puis assaisonner. Réserver.

Préparer la mayonnaise à l'ail confit.

Faire chauffer l'huile de canola dans une grande casserole ou une friteuse à 350 °F ou 180 °C (un thermomètre à friture est de mise). Faire frire les enokis, puis les déposer sur un papier absorbant.

MONTAGE

Découper chaque ciabatta en deux. Faire gratiner 3 tranches de gruyère d'un côté du pain. Mettre environ 150 g de la fricassée de champignons sur le fromage. Déposer l'œuf cuit au plat, des enokis frits, quelques feuilles de persil italien et finir avec la seconde moitié de pain, badigeonnée de mayonnaise à l'ail confit. On coupe en deux, on se régale déjà de voir le jaune d'œuf couler et on s'empresse d'ouvrir grand la bouche pour accueillir ce parfait mélange de saveurs !

Pour moi, un vrai dimanche est un jour d'oisiveté, le seul jour de la semaine, d'ailleurs, où je me donne le droit d'être paresseuse sans me sentir coupable l'espace d'une seconde, car avec la mollesse viennent les plaisirs, et donc les gourmandises ● Le brunch parfait du dimanche comprend du salé, du sucré et, pour plusieurs… du café ! Alors voici ce que je vous propose : un rôti de bœuf mariné au café parce que les deux font assurément la paire, du cheddar fondu parce qu'un dimanche sans fromage serait vraiment dommage, l'œuf au plat, cela va de soi, une gaufre sucrée bien croustillante, simplement parce qu'elle fournit le lit parfait pour tant d'amour, et des figues pour que notre conscience nous pardonne le tout !

« Ainsi la paresse est mère. Elle a un fils, le vol, et une fille, la faim. »
Victor Hugo, *Les Misérables*

LE DIMANCHE

Pour 6 sandwichs

Rôti de bœuf au café
1 petit rôti de bœuf
   d'environ 1½ lb
2 expressos allongés
2 c. à s. de bon
   vinaigre balsamique
1 gousse d'ail
1 c. à s. de cassonade
1 c. à t. de sel
1 carotte
1 petit oignon
Feuilles de céleri
1 branche de thym
1 branche de romarin
Sel et poivre
1 c. à s. de beurre
1 c. à s. d'huile d'olive
1½ tasse de bouillon
   de bœuf

Sauce béchamel
   (recette p. 101) plus
   2 c. à t. de moutarde
   de Dijon

Gaufres
2 œufs
1 tasse de farine
1 c. à t. de sel
1 c. à t. de sucre
1 c. à s. de fécule
   de maïs
3 c. à t. de poudre
   à pâte
½ tasse de beurre
1 tasse de lait
1 c. à t. d'huile
   de canola

12 tranches
   de cheddar vieilli
Quelques tranches
   d'oignon rouge
   très fines
Roquette fraîche
3 figues coupées
   en quartiers
Miel

Il faudra s'y prendre une journée d'avance pour faire mariner la viande. Préparer la marinade en mélangeant 1 expresso, le vinaigre balsamique, la gousse d'ail écrasée, la cassonade et 1 c. à t. de sel dans un sac Ziploc ou autre et y placer le rôti de bœuf, laisser au réfrigérateur pendant au moins 12 heures. Préchauffer le four à 400 °F. Laisser le rôti hors du frigo pendant que vous préparez les légumes (au moins 20 minutes à température de la pièce). Couper la carotte et l'oignon grossièrement et les mettre dans un plat en fonte émaillée ou une lèchefrite assez profonde. Ajouter quelques feuilles de céleri, le thym et le romarin. Saler et poivrer la viande généreusement.

Faire chauffer le beurre et l'huile dans une poêle et saisir la viande de chaque côté pour obtenir une belle coloration. Transférer dans le plat allant au four avec tout le liquide contenu dans la poêle. Mettre au four à découvert et laisser cuire environ 30-40 minutes. L'idéal est de vérifier la cuisson avec un thermomètre à viande, et cela à partir de 30 minutes de cuisson pour s'assurer de ne pas avoir à manger une semelle de botte… Il faut atteindre entre 130-145 °F ou 55-63 °C dans le centre de la pièce pour une viande encore saignante au centre. Pour une viande bien cuite, vous pouvez monter jusqu'à 172 °F ou 78 °C (il faut compter de 10 à 15 minutes de cuisson par livre, selon la température désirée).

Lorsque le bœuf a atteint la cuisson parfaite (médium-saignant est idéal pour les sandwichs), retirer du plat de cuisson, mettre sur une planche en bois enveloppée de papier d'aluminium et laisser reposer

sur le comptoir au moins 15 minutes. En
conservant les légumes, verser 1 ½ tasse de
bouillon de bœuf dans le plat de cuisson avec
l'autre expresso et faire réduire lentement pour
obtenir une belle sauce. Passer au tamis, puis
remettre sur le feu avec 1 c. à t. de beurre froid.
Préparer la béchamel.

Pour les gaufres, séparer les jaunes et les blancs
des 2 œufs et monter les blancs en neige la plus
ferme possible. Pour ce faire, il est préférable
d'avoir des blancs très froids, d'utiliser un bol en
métal qui sera naturellement froid et de fouetter
vigoureusement. Ajouter une pincée de sel dès
le départ pour aider. Un batteur électrique est
très efficace. Mélanger le reste des ingrédients
sauf l'huile de canola dans un grand bol, soit au
batteur électrique ou à la main, et finir en
incorporant les blancs en neige tranquillement
à la cuillère de bois. Faire chauffer le gaufrier
avec 1 c. à t. d'huile de canola et y déposer
la quantité requise de pâte à gaufres. Pour
6 sandwichs, préparer 12 gaufres (2 gaufres
par sandwich). S'assurer que les gaufres soient
bien croustillantes. Si ce n'est pas le cas, les
mettre au four à 400 °F quelques minutes.

Faire revenir les quartiers de figues dans la poêle
avec une noix de beurre et un filet de miel.
Réserver.

Montage

Déposer 2 tranches de cheddar sur une gaufre
et faire gratiner sous le gril du four (*broil*).
Déposer une bonne quantité de sauce
béchamel sur l'autre gaufre, y déposer quelques
tranches de rôti de bœuf imbibé de son jus, un
œuf au plat, quelques fines lamelles d'oignon
rouge, un peu de roquette, et finir avec
3 ou 4 quartiers de figues du côté
fromage. Alléluia !

OPTION HOUMPF

Pour chaque sandwich,
faire cuire un œuf au plat
doucement, saler, poivrer
et l'ajouter
sur les tranches
de bœuf !

Pour nous rappeler qu'au Québec le soleil se laisse parfois désirer et qu'une bonne récolte de notre potager n'est jamais assurée, voici une suggestion pour apprêter les tomates vertes… Légèrement frites, elles deviennent tendres tout en gardant leur acidité ! Merci au Sud des États-Unis pour cette merveilleuse et surtout savoureuse idée !

LE SOLEIL

Pour 3 sandwichs

Mousse de maïs
  (recette p. 101)

Salade de betterave
1 betterave
1 c. à s. de jus de citron
1 c. à s. d'huile d'olive
1 c. à s. de ciboulette finement hachée
Sel et poivre

Fried Green Tomatoe
1 tomate verte de première qualité
¼ tasse de babeurre
½ tasse de farine de maïs
1 c. à t. de sel et de poivre
Huile de canola

Quelques tranches de tomme de chèvre
6 tranches de pain au fromage ou de pain au fromage sans gluten
  (recette p. 116)

Préparer la mousse de maïs.

Peler la betterave et utiliser un trancheur Spirooli (machine à coupe en spirale) pour obtenir des spaghettis. Si vous n'avez pas de trancheur, couper simplement la betterave en fine julienne. Ajouter le jus de citron, l'huile d'olive, la ciboulette, le sel et le poivre. Bien mélanger.

Pour faire la tomate frite, préparer 2 bols, le premier avec le babeurre et l'autre avec la farine, le sel et le poivre. Couper la tomate en tranches d'environ 1 cm. Faire chauffer la friteuse ou l'huile dans une poêle profonde à feu moyen-élevé, vérifier que l'huile est suffisamment chaude en y jetant un pépin de tomate (si des bulles se forment autour du pépin, l'huile est prête). Vous pouvez également utiliser un thermomètre à friture (350 °F ou 180 °C est la température idéale). Tremper les tranches de tomate dans le babeurre puis dans la farine. Faire frire jusqu'à ce qu'elles soient bien dorées et croustillantes. L'huile doit être assez chaude pour que la friture se fasse rapidement et que la tomate n'absorbe pas trop d'huile, elle doit rester ferme. Déposer sur du papier absorbant.

Montage

Déposer les tranches de fromage sur un des deux morceaux de pain et les faire gratiner sous le gril du four (broil). Étendre une généreuse couche de mousse de maïs sur la tranche de pain sans fromage, déposer deux tranches de tomate frite et finir avec une bonne quantité de salade de betterave. Fermer avec la tranche de pain gratinée.

OPTION HOUMPF

Ajouter une tranche
de bacon entre
le saumon
et les tomates.

ON DIT QUE LA SIMPLICITÉ a bien meilleur goût ● Je ne suis pas toujours d'accord, ayant les papilles plutôt aventureuses de nature, mais ici, j'adopte l'expression volontiers afin de pouvoir marier de vieux alliés de façon créative… Un BLT au saumon confit et (bon, OK, je n'ai pas pu résister) de la moelle ! Parfois, ma gourmandise a tendance à susciter une démesure insolite ● En revanche, je promets à tous les « conservateurs » que cette combinaison n'a rien de déstabilisant au goût ● En fait, elle est absolument séduisante ● La richesse de la moelle fondante sur le pain grillé apporte une troisième dimension à l'amalgame… Imaginez votre BLT préféré couché sur un lit de velours !

LE BLTS

POUR 2 SANDWICHS

4 tranches de pain de campagne
   (recette p. 111)

SAUMON CONFIT

1 gros ou 2 petits filets de saumon
   avec la peau (bio
   et écoresponsable de préférence)
20 g de sel
20 g de sucre
6-7 c. à s. d'huile d'olive
Zeste de 1 citron
1 petit piment fort

1 os à moelle de bœuf ou de veau
Sel de Maldon
Persil italien
Huile d'olive
Jus de citron
Sel et poivre

10 tomates cerises
Mayonnaise au bacon
   (recette p. 98)
Herbes fraîches

Faire le pain de campagne – il faudra s'y prendre une journée d'avance, bien sûr.

Préparer le saumon comme un gravlax. Mélanger le sel et le sucre et recouvrir le filet de saumon de ce mélange. Mettre au réfrigérateur 45 minutes. Rincer le saumon, le sécher et le déposer à l'envers (la peau en haut) dans un plat allant au four. Le plat devrait être le plus étroit possible (par exemple, un petit plat à terrine). Faire chauffer l'huile, le zeste et le piment légèrement dans une poêle, laisser reposer quelques minutes hors du feu, puis verser sur le poisson. Faire confire au four à 225 °F de 20 à 25 minutes. Le temps varie selon la grosseur du filet de saumon et la température de l'huile au départ. Quand le saumon sera à point, la peau se soulèvera très facilement. Réserver.

Nettoyer l'os à moelle et le déposer sur une tôle avec une pincée de sel de Maldon dessus. Mettre au four à 475 °F de 15 à 20 minutes. On veut que la moelle soit bien luisante et qu'elle se détache de l'os en gardant sa consistance… Il faut éviter de trop cuire, sinon la moelle deviendra trop liquide. Mélanger du persil italien grossièrement haché avec un filet d'huile d'olive, quelques gouttes de jus de citron, du sel et du poivre.

MONTAGE

Couper les tomates cerises en deux, saler et poivrer. Faire griller les tranches de pain de campagne maison. Étendre une belle couche de moelle sur deux des quatre tranches de pain et de la mayonnaise au bacon sur les autres. Déposer le saumon confit sur la mayonnaise, recouvrir de quelques tomates, puis finir avec les herbes fraîches. On ferme et on sourit !

Au tout début de la saison d'activité de notre camion *La Mangeoire*, nous offrions L'Intercontinental, un sandwich de falafels avec *antipasto calabrese* dans un pain nan ● Une recette créée par William, mon partenaire de l'époque, et qui a connu un succès unanime ● Je vous en présente une version modifiée, tout en respectant l'influence méditerranéenne ● Je lui ai donné le nom de Thalassa, un mot qui signifie « mer » en grec ancien ● Tout comme la Méditerranée, cette recette rejoint plusieurs pays, elle contourne les frontières et provoque de belles rencontres…

LA THALASSA

Pour 2 sandwichs
2 pains nan maison
    (recette p. 119)
Sauce à l'aneth
    (recette p. 100)

Légumes croquants
1 carotte
½ fenouil
1 concombre libanais
Huile d'olive
Jus de citron
Sel et poivre

Crevettes panées
6 ou 8 grosses crevettes fraîches
Huile de canola ou huile d'olive pure
1 tasse de farine
1 œuf
Sel et poivre
1 tasse de chapelure Panko

Aneth frais

Commencer par préparer les pains nan, puis la sauce à l'aneth.

Couper tous les légumes sur la longueur en fines tranches (à la mandoline de préférence). Les enduire d'huile d'olive et de quelques gouttes de jus de citron. Saler et poivrer. Réserver au froid.

Décortiquer et déveiner les crevettes, puis retirer le boyau en découpant la crevette avec un petit couteau. Les ouvrir en « papillon » (mettre à plat) pour qu'elles soient plus faciles à placer dans le sandwich.

Chauffer l'huile dans une casserole profonde ou dans une friteuse. La température doit se situer autour de 350 °F ou 180 °C (un thermomètre à friture est de mise).

Préparer 3 bols : le premier avec la farine, le deuxième avec l'œuf battu salé et poivré, puis le troisième avec la chapelure.

Sécher les crevettes avec un papier absorbant, les enfariner et secouer l'excès. Tremper dans l'œuf, puis recouvrir d'une bonne couche de chapelure. Faire frire jusqu'à ce qu'elles deviennent bien dorées, puis les déposer sur un papier absorbant.

Montage

Napper généreusement le pain nan de sauce à l'aneth. Y déposer 3 ou 4 crevettes, des légumes croquants et de l'aneth frais !

CULTIVANT LE PIMENT dès le milieu du XVIIᵉ siècle, les Basques en ont créé une variété exceptionnelle appelée Gorria, qui servira plus tard à produire le piment d'Espelette, de la ville du même nom ● Si on s'aventure dans la région de Labourd en automne, on peut voir les magnifiques guirlandes de piments rouge vif suspendues aux façades des maisons, un spectacle exclusif ● Ce que j'aime de ce piment, c'est son parfum unique… Le soleil du Pays basque lui donne un arôme qui vient égayer nos plats à tout coup !

LE GORRIA

POUR 1 SANDWICH
2 tranches de pain de campagne grillé (recette p. 111)

BETTE À CARDE
50 g de bette à carde
1 c. à t. d'huile d'olive
Quelques gouttes de jus de citron
Sel et poivre

Mayonnaise au piment d'Espelette (recette p. 98)
1 fromage burratina
Quelques fines tranches de citron confit (recette p. 106)
2 tranches de bacon

Faire le pain de campagne. Il faudra s'y prendre une journée d'avance, bien sûr.

Nettoyer la bette à carde, la sécher, la couper grossièrement et la faire sauter à la poêle dans l'huile d'olive à feu moyen-élevé. Ajouter le jus de citron, saler et poivrer au goût.

MONTAGE
Faire griller deux tranches de pain. Étendre de la mayonnaise au piment d'Espelette sur les deux tranches de pain grillées, déposer la bette à carde chaude sur une des deux, ajouter la burratina, que vous aurez défaite à la main, le citron confit et, finalement, le bacon… Fermer, manger… Reprendre son souffle !

POUR CETTE RECETTE, mon intention n'était pas de fusionner, mais plutôt d'honorer l'art du sushi sous la forme d'un sandwich gourmand ● Bien sûr, je ne parle pas ici d'un sushi traditionnel ; encore une fois, ma gourmandise prend le dessus et vous propose un assemblage de saveurs et de textures inhabituelles mais ô combien harmonieuses ! Thon épicé, bacon, Granny Smith, échalotes frites et radis melon d'eau... Ce dernier est une merveille de nos jardins modernes, un radis de la grosseur d'une pomme, à la chair plus sucrée et de la couleur du melon d'eau !

LE BAISER (*SU-WICH*)

POUR 4 SANDWICHS

4 petits pains vapeur (*buns*)
(recette p. 123, ajouter quelques gouttes de colorant alimentaire rouge au mélange lait-huile)

Mayonnaise au bacon
(recette p. 98)

TARTARE DE THON

150 g de thon rouge de qualité « sushi »

Zeste de 1 citron

Zeste de 1 lime

1 c. à s. d'huile d'olive

1 c. à s. d'huile de noix

1 c. à t. de sambal oelek

Sel et poivre

1 pomme Granny Smith

1 radis melon d'eau

1 échalote

Échalotes françaises frites*

* On trouve les échalotes françaises frites dans tous les supermarchés asiatiques. Elles sont une façon simple et merveilleuse d'agrémenter un plat de légumes, une salade, un risotto ou un sandwich.

Faire les pains à la vapeur selon la recette, ajouter du colorant alimentaire rouge au mélange lait-huile.

Poursuivre avec la mayonnaise au bacon. Réserver au réfrigérateur.

Couper le thon en petits cubes et mélanger avec le reste des ingrédients du tartare. Réserver au froid.

Peler et enlever le cœur de la pomme. Peler le radis melon d'eau et couper en juliennes fines à l'aide d'une mandoline ou d'un couteau. Faire la même chose avec l'échalote. Elle doit être coupée finement, en biseau de préférence.

MONTAGE

Garnir les pains vapeur avec de la mayonnaise au bacon, une généreuse portion de tartare et un peu de chacun des autres condiments, dont les échalotes françaises frites... Vous comprendrez dans quelques secondes pourquoi il a été baptisé le Baiser. xxx

Après Miss Daisy, accueillons Donald Duck • Si Daisy se pavane comme une geisha en battant des cils pour nous séduire avec son croquant asiatique et sa petite touche sucrée, Donald, lui, gambade fièrement avec des airs de « Français-je-sais-tout » • Pour lui, c'est le bon vieux fromage de son pays qui est sans aucun doute le meilleur ami du canard confit…

LE DONALD DUCK

Pour 4 sandwichs

CANARD CONFIT*
4 cuisses de canard
4 c. à s. de gros sel
2 c. à s. de sucre
2 c. à t. de poivre en grains
2 c. à t. de graines de fenouil
4 gousses d'ail
3 litres de gras de canard

RAISINS CONFITS
200 g de raisins rouges
1 c. à s. de bon vinaigre balsamique
2 c. à t. de moût de raisin
½ c. à t. de beurre
1 c. à t. de sel

RÉMOULADE DE PANAIS
100 g de panais
1 ½ c. à s. de mayonnaise de base
    (recette p. 98)
Jus de ½ citron
1 c. à t. de moutarde de Meaux
Poivre noir au goût
Sel de légumes (Herbamare) au goût

4 pains ciabatta
4 bonnes tranches de mimolette
Quelques feuilles de basilic frais

Il faudra s'y prendre une journée d'avance pour préparer le canard confit.

Pour le canard confit, écraser le sel, le sucre, le poivre et les graines de fenouil au mortier et prendre ce mélange pour frotter les cuisses de canard. Lorsqu'elles sont complètement recouvertes, les déposer dans un plat, recouvrir de papier cellophane et mettre au réfrigérateur de 12 à 24 heures (ne pas dépasser 24 heures, car la viande pourrait devenir trop salée).

Sortir les cuisses du frigo, rincer rapidement et sécher avec un linge propre. Déposer les cuisses dans un plat en fonte émaillé ou autre avec les gousses d'ail coupées en deux, puis recouvrir avec le gras de canard fondu. Assurez-vous que les cuisses soient entièrement submergées. Mettre au four à 225 °F pendant 6 heures.

Pendant ce temps, préparer les raisins confits. Mettre tous les ingrédients dans une casserole et laisser mijoter à feu doux jusqu'à ce que les raisins deviennent gorgés de sucre et de gras, soit de 20 à 30 minutes.

Couper les panais en fine julienne et mélanger avec le reste des ingrédients de la rémoulade. Réserver au frais.

Lorsque le canard est confit, retirer les cuisses de leur gras et placer sous le gril du four (*broil*) quelques minutes pour que la peau devienne croustillante. Retirer la viande de l'os.

MONTAGE
Couper les pains ciabatta en deux sur la longueur et déposer la mimolette sur un côté. Placer les deux tranches du sandwich sous le gril du four. Mettre des raisins confits sur la tranche de pain grillée sans fromage. Ajouter la viande d'une cuisse de canard sur cette dernière, la rémoulade de panais et finalement quelques feuilles de basilic du côté fromage.

S'IL FAUT CHOISIR NOS COMBATS DANS LA VIE, le végétalisme ne fait clairement pas partie des miens ● Cela dit, j'ai un grand respect pour ceux qui y adhèrent… Que ce soit une façon de s'opposer à la brutalité infligée aux gentils cochons roses et à nos copines les poules ou pour militer contre le gaspillage d'eau et de céréales servant à la production de nos steaks et côtelettes, ou tout simplement pour des raisons de non-violence dictée par une religion, j'admire la volonté et la ténacité des végétaliens.

Voici donc une recette qui rend hommage à Sophie Zaïkowska, anarchiste individualiste d'origine slave et précurseure du mouvement végétalien, qui a fondé à Paris, après la Première Guerre mondiale, le premier centre de végétalisme ● Évidemment, pour une cuisinière qui a le bacon tatoué sur le cœur (pauvres artères, vous me direz), cet exercice s'est révélé plutôt laborieux, mais je crois être parvenue malgré tout à composer un sandwich digne du mot « gourmand », et ce, sans aucun dérivé animal… À vous, chers végétaliens, de m'en donner des nouvelles !

LA SOPHIE

POUR 4 À 6 SANDWICHS

Pain nan végétalien au curcuma (recette p. 120)

CROQUETTES DE TOFU ET PETITS POIS VERTS

½ tasse de boulgour
½ tasse de millet
250 g de tofu ferme
2 c. à s. de miso dashi ou shiro
1 c. à s. de fécule d'arrow-root
100 g de petits pois verts décongelés
¼ c. à t. de poivre en grains
½ c. à t. de sambal oelek

SAUCE QUI DEVRAIT ÊTRE SECRÈTE

100 g de yogourt de soya
½ c. à t. de moutarde de Dijon
2 c. à t. de jus de citron
10 g d'amandes rôties sans peau
½ c. à t. de curry rouge (ou pâte de piments)
½ tasse d'huile d'olive

½ c. à s. d'huile de ciboulette (recette p. 105, facultatif)
½ c. à t. de sirop d'érable (facultatif)
Poivre et sel de légumes (Herbamare) au goût

Huile végétale
1 concombre libanais tranché finement sur la longueur
Quelques peperoncinis
Oignon mariné (recette p. 106)
Citrons confits (recette p. 106)
Quelques feuilles de coriandre fraîche

D'abord, commencer par faire le pain nan.

Ensuite, procéder avec les croquettes. Faire cuire le boulgour et le millet. Réserver. Au robot culinaire, mélanger tout le reste des ingrédients, puis amalgamer le millet et le boulgour à la main à ce mélange. Confectionner des croquettes de forme ovale d'environ 3 po (8 cm) de long. Réserver.

Pour préparer la sauce, mettre tous les ingrédients à l'exception des huiles dans le mélangeur. Actionner et verser l'huile d'olive doucement en filet fin de façon à obtenir une émulsion. Finir avec l'huile de ciboulette. Assaisonner au goût.

Faire griller les croquettes à la poêle dans un fond d'huile végétale jusqu'à ce qu'elles soient bien dorées et croustillantes.

MONTAGE

Badigeonner un pain nan avec la sauce « secrète ». Déposer quelques tranches de concombre libanais. Ajouter 2 ou 3 croquettes, quelques peperoncinis, des lamelles d'oignon mariné et quelques morceaux de citron confit. Finalement, orner le tout de feuilles de coriandre. Fermer, déguster !

OPTION HOUMPF

Ajouter une herbe fraîche, au choix : aneth, ciboulette, coriandre... Bon appétit !

RASSUREZ-VOUS, je ne suis pas sur le point de vous présenter un sandwich à la poutine… Je fais plutôt allusion à la banquise où l'on trouve l'éperlan, ce petit poisson venu de la mer et que nous pouvons pêcher au moment où il vient se reproduire en eau douce, principalement dans le Bas-Saint-Laurent ● Durant la saison hivernale, on perce des trous dans la glace et on en sort ces petites bêtes argentées qu'on fait frire et qu'on dévore à ne plus savoir s'arrêter ! Et si on ajoute à l'éperlan de la fraîcheur, des agrumes et un parfum venant de la terre, celui de la truffe par exemple, question de provoquer une rencontre inhabituelle, alors là, notre petit ami ne répond plus de lui !

LA BANQUISE

POUR 2 SANDWICHS

2 pains nan
(recette p. 119)
Crème de citron
(recette p. 101)

RADIS MARINÉS

5 radis
15 g de sucre blanc
2 c. à s. de vinaigre de riz
½ c. à t. de piment rouge en poudre

ÉPERLANS FRITS

8 éperlans frais
Huile de canola
150 g de farine à tempura
220 g d'Orangina ou de limonade
pétillante très froide
Fleur de sel

Huile de truffe
Citrons confits*
(recette p. 106)

Évidemment, les citrons confits doivent être préparés à l'avance. Il est également possible de les acheter déjà préparés, mais il est plutôt difficile d'en trouver d'aussi bons qu'à la maison !

Commencer par faire le pain nan, puis la crème de citron.

Trancher les radis très finement à la mandoline ou avec un bon couteau, les déposer dans un bol et ajouter le sucre, le vinaigre et le piment. Laisser mariner au frais.

Nettoyer les éperlans. Si la tête n'a pas déjà été retirée, la retirer et, à l'aide de ciseaux, ouvrir le poisson sur la longueur du côté du ventre. Retirer délicatement la colonne vertébrale en tirant doucement pour ne pas abîmer la chair. Dans une grande poêle profonde, faire chauffer l'huile autour de 350 °F ou 180 °C (il est toujours préférable d'utiliser un thermomètre à friture).

Mélanger la farine à tempura et l'Orangina très rapidement à la fourchette (la boisson pétillante devra être extrêmement froide, la mettre au congélateur quelques minutes s'il le faut). Enduire généreusement les éperlans de ce mélange et les faire frire dans l'huile jusqu'à ce qu'ils deviennent bien dorés et croustillants. Déposer sur un papier absorbant et saupoudrer de quelques flocons de fleur de sel.

MONTAGE

Dès que les pains nan sont prêts, étendre de la crème de citron sur chacun d'eux et y déposer 4 éperlans frits par sandwich, un filet d'huile de truffe, quelques tranches de citron confit et autant de radis marinés que vous voulez. Fermer en roulant le nan comme un gyros et… plonger !

DES PETITS BONHEURS, il y en a plein, c'est vrai ● Et je dirais que nous, les Québécois, qui souffrons du froid et de l'hibernation beaucoup trop longtemps, avons le privilège de pouvoir en ajouter à notre liste… Comme le chant des oiseaux au printemps, un son qui évoque notre résurrection et qui fait battre notre cœur comme au premier amour ! Cette joie, je la dédie au « mille-wich » qui suit, parce que ce dernier déclenche la même euphorie ! Imaginez la volupté de la pâte feuilletée enlaçant l'onctuosité de la mozzarella di bufala se laissant fondre de plaisir sur la suavité des légumes confits, qui eux se laissent caresser par l'amertume sexy du pesto de rapini… Si ça, ce n'est pas du bonheur, alors je tire ma révérence !

LE CHANT

POUR 1 SANDWICH

LÉGUMES CONFITS
1 courgette jaune ou verte
¼ de fenouil
¼ d'oignon rouge
5 ou 6 choux de Bruxelles
Huile d'olive
Sel et poivre

Pesto de rapini
   (recette p. 109)
Sauce rouge
   (recette p. 100)
Sauce béchamel
   (recette p. 101)
3 rectangles (15 cm × 6 cm) de pâte
   feuilletée du commerce surgelée,
   déjà abaissée et vendue en rouleau

AUBERGINE FRITE
Huile d'olive pure ou huile de canola
1 tranche épaisse d'aubergine (1,5 cm)
¼ tasse de farine
1 œuf
Sel et poivre
¼ tasse de chapelure

40 g de mozzarella di bufala (environ)
Quelques lamelles de poivron
   mariné (recette p. 106)

Préparer d'abord les légumes confits. Couper la courgette en tranches moyennes sur la longueur, puis le fenouil, l'oignon et les choux de Bruxelles en quartiers. Sur une tôle, déposer les légumes à l'exception des courgettes et enduire généreusement d'huile. Ajouter les courgettes après 15 minutes de cuisson. Saler, poivrer et enfourner à 375 °F pendant environ 45 minutes.

Pendant ce temps, préparer le pesto, la sauce rouge et la béchamel.

Percer des trous dans les 3 rectangles de pâte à l'aide d'un cure-dent ou d'un pic à fondue. Enfourner à 375 °F pendant environ 20 minutes. Une fois que les légumes sont prêts, laisser reposer sur le comptoir.

Commencer à apprêter l'aubergine. Faire chauffer un fond d'huile dans une poêle profonde. Préparer 3 bols, le premier avec la farine, le deuxième avec l'œuf battu salé et poivré, et le troisième avec la chapelure. Recouvrir la tranche d'aubergine de farine, secouer pour enlever l'excès, tremper dans l'œuf et ensuite dans la chapelure. Déposer dans l'huile chaude et laisser frire un côté puis l'autre jusqu'à ce que l'aubergine soit bien dorée et croustillante. Réserver sur un papier absorbant.

MONTAGE

Étaler les 3 rectangles de pâte devant vous. Étendre une couche de pesto sur le premier. Ajouter la tranche d'aubergine, la mozzarella et les lamelles de poivron. Fermer avec le deuxième rectangle, puis étaler de la sauce rouge et y déposer les légumes confits. Terminer en étendant de la béchamel sur le troisième rectangle, qui servira de chapeau à cette alléchante sculpture !

MES SOUVENIRS DU MAROC se résument à quelques images : le grain de sable irritant entre les dents, la *pastilla* au pigeon, les épices multicolores, le chant des prières au beau milieu de la nuit, la sensation d'être dans un four à combustion lente, la menace constante d'être prise à l'assaut dans un marché par une vendeuse de henné aux dents pointues… Ah, et bien sûr le cri de la gazelle… Pas l'animal lui-même, mais celui du Marocain (pas trop musulman) qui apostrophe les femmes en hélant : « Hey, la gazelleeee ! » Cette recette rend hommage à ces chères gazelles, parce que, au Maroc, ce sont les femmes qui se perlent le front aux fourneaux et ce sont elles qui savent si bien manier les saveurs ● Et Dieu sait combien elles ont accès à un bouquet d'aromates absolument exceptionnels !

LA GAZELLE

POUR 2 SANDWICHS

JARRETS D'AGNEAU BRAISÉ
Sel et poivre
2 jarrets d'agneau du Québec
Huile d'olive
2 c. à s. d'harissa
1 tasse de bouillon de poulet
1 tasse de vin blanc
1 branche de romarin
2 échalotes françaises coupées
   en deux
2 gousses d'ail coupées en deux

2 pains marocains
   (recette p. 115)
Chutney de rhubarbe au safran
   (recette p. 104)
Pesto d'ail des bois
   (recette p. 109)
1 fenouil
Huile d'olive
Sel et poivre
Quelques tranches de citron
   confit (recette p. 106)
Quelques feuilles de menthe
   fraîche

Saler et poivrer le jarret et le saisir à la poêle dans un peu d'huile d'olive. Transférer la viande dans un plat en fonte émaillée de préférence (genre Le Creuset) ou dans un autre plat à braiser. Badigeonner l'agneau de tous les côtés avec l'harissa et ajouter le reste des ingrédients. Cuire au four à 325 °F pendant 3 heures.

Pendant ce temps, préparer les pains marocains, puis le chutney de rhubarbe et le pesto d'ail des bois.

Trancher le fenouil en fines lamelles et enduire d'huile d'olive, de sel et de poivre. Réserver.

Lorsque la viande est prête, la détacher de son os en s'assurant de retirer les nerfs et les gros morceaux de gras.

MONTAGE

Couper les pains marocains en deux (il est toujours mieux de faire cuire le pain dans la poêle à la dernière seconde pour que l'extérieur soit encore croustillant et l'intérieur, chaud et moelleux). Étendre le chutney d'un côté et le pesto de l'autre, déposer l'agneau sur le chutney, ajouter ensuite quelques tranches de citron confit et le fenouil, puis finir avec un peu de menthe effilée ! Et alors, la gazelle ?

Ah, séduisante Espagne ! Mon âme sœur ! Là où il fait bon vivre, là où je ne me lasserai jamais d'aller pour la beauté de son peuple, de ses villes, de son énergie unique et, bien sûr, pour la richesse de sa cuisine.

Je dédie ce qui suit à mon pays favori... Parmi un éventail alléchant, je sélectionne mes coups de cœur et tente de les marier de façon harmonieuse • Je commence avec le roi du pays : le jambon ibérique ou *pata negra* (patte noire) issu de cochons noirs élevés en liberté et nourrit aux glands de chênes • Ne contenant que du bon cholestérol et plusieurs vitamines, cette viande est non seulement bonne pour la santé, mais elle est de loin, selon moi, la meilleure du monde ! Ensuite, je choisis de la glorifier d'une mayonnaise au xérès et de l'accompagner de quelques joyeuses connaissances !

LE SEVILLA

Pour 2 sandwichs

Cœur d'artichaut grillé
1 artichaut frais
1 c. à s. de beurre
1 c. à t. de jus de citron
Sel et poivre

2 pains ciabatta
Huile d'olive
1 belle tomate bien mûre
Sel et poivre
200 g de jambon ibérique
1 kaki
4 tranches de fromage manchego
Laitue mizuna, roquette ou mâche
Sauce au xérès
   (recette p. 100)

À l'aide d'un couteau bien aiguisé, couper le premier tiers des feuilles de l'artichaut et le bout de la tige, puis retirer les premières rangées de feuilles tout autour. Encore à l'aide d'un couteau, retirer la peau, trop amère et trop coriace, qui se trouve sur le tronc. À l'aide d'une cuillère, débarrasser le cœur de tout le petit poil, dans le centre, qui est très désagréable à manger. Couper le cœur en quatre morceaux et les faire blanchir dans de l'eau salée 1 ou 2 minutes (si les quartiers de cœur ne sont pas cuits immédiatement ils s'oxyderont, il est donc préférable de les laisser tremper dans un bol d'eau avec des gros morceaux de citron en attendant la cuisson). Égoutter, sécher et faire griller dans une poêle avec le beurre, à feu moyen, jusqu'à ce qu'ils deviennent dorés et croustillants. Ajouter le jus de citron et assaisonner au goût.

Montage

Couper les pains en deux sur la longueur et verser un filet d'huile d'olive sur un des deux morceaux de chaque ciabatta, puis les frotter avec la tomate coupée en deux (un classique espagnol qu'on appelle le *pan con tomate*, soit un morceau de pain imbibé de pulpe de tomate). Saler et poivrer. Déposer quelques tranches de jambon ibérique (environ 100 g), quelques tranches de kaki, 2 tranches de fromage, 2 morceaux de cœur d'artichaut et la mizuna, puis finir avec le deuxième morceau de pain tartiné de sauce au xérès... *Buen provecho !*

GULO EST LE NOM DU GLOUTON EN LATIN... Je ne parle pas de moi, même si ce patronyme m'irait comme un gant ● Je fais allusion plutôt à cette petite bête féroce et carnivore qu'on appelle ici le carcajou! Pourquoi lui destiner ce sandwich? Parce qu'il est réservé aux plus gourmands d'entre nous, aux amateurs de gras, de crème, de fromage, de démesure... Bref, à tous ceux qui ajoutent petits pois, saucisses ou foie gras sur leur poutine; à ceux pour qui un croque-monsieur à la française, bien riche et bien lourd, ne suffit pas; à ceux qui, comme moi, se laissent emporter par leur penchant excessif et agrémentent ce croque-monsieur d'une tranche de flanc de porc braisé, de poires caramélisées et, pourquoi pas, de choux de Bruxelles croquants!

LE *GULO GULO*

POUR 4 À 6 SANDWICHS

MARINADE
60 g de sel
1 ½ tasse d'eau
2 gousses d'ail
½ c. à t. de poivre
    de Sichuan
1 branche de thym
2 c. à s. de sirop d'érable

FLANC DE PORC BRAISÉ
300 g de flanc de porc
    sans la couenne
    (demander au boucher
    qu'il conserve TOUT
    le gras sous la peau)

POUR LA CUISSON
1 carotte
½ oignon
Quelques feuilles
    de céleri
1 branche de romarin
1 branche de thym
2 tasses de fond de veau

CHOUX DE BRUXELLES
20 choux de Bruxelles
1 c. à s. d'huile d'olive
1 c. à s. de beurre
Sel et poivre

POIRES CARAMÉLISÉES
2 poires Bosc
2 c. à t. de beurre
2 c. à s. de cassonade

Sauce béchamel
    (recette p. 101)
    additionnée de
    3 c. à s. de jus de
    cuisson du porc
8 à 12 tranches de
    pain blanc de bonne
    qualité (type « carré
    blanc »)
8 à 12 tranches de
    cheddar vieilli

Il faudra s'y prendre une journée d'avance pour préparer la viande. Mélanger tous les ingrédients de la marinade dans un plat hermétique et y ajouter le flanc de porc. Laisser au réfrigérateur pendant toute la nuit (de 8 à 12 heures). Retirer la viande de sa marinade, la transférer dans un plat à braiser en fonte émaillée ou autre, et ajouter la carotte et l'oignon coupés grossièrement avec quelques feuilles de céleri, la branche de romarin et de thym, puis du fond de veau jusqu'à la mi-hauteur de la pièce de viande. Enfourner à 300 °F pendant 3 heures.

Pendant ce temps, préparer les choux de Bruxelles. Les nettoyer, couper les bouts puis défaire chaque feuille. Une fois arrivé aux cœurs, les couper en deux. Faire sauter à la poêle à feu moyen dans l'huile et le beurre jusqu'à ce qu'ils deviennent croustillants. Assaisonner au goût et réserver.

Enlever la peau et les cœurs des poires. Couper chacune en 8 quartiers. Faire fondre le beurre et la cassonade dans une poêle et y faire revenir les quartiers rapidement.

Préparer la béchamel en ajoutant 3 c. à s. de jus de cuisson du porc à la recette originale.

Couper la viande en tranches d'environ 2 cm et faire griller dans la poêle avec un peu d'huile d'olive pour que les tranches soient bien croustillantes.

MONTAGE
Faire griller légèrement les tranches de pain. Étendre une bonne couche de béchamel sur les 2 côtés du sandwich. Déposer 2 tranches de flanc de porc, 4 quartiers de poire et des choux de Bruxelles croustillants. Refermer. Napper le croque-monsieur de sauce béchamel et ajouter 2 tranches de cheddar. Faire gratiner sous le gril du four (*broil*) quelques minutes et... DÉVORER!
Fortement suggéré un lendemain de veille!

CHIPS DE PATATE DOUCE À LA LIME ET AU PIMENT

POUR 2 PORTIONS ENVIRON

2 patates douces
1 bouteille d'huile de canola
    (1,40 litre)
Épices mexicaines Tajin à la lime*

*Ces mélanges d'épices mexicaines
se trouvent dans presque toutes
les épiceries latines.*

Peler les patates et les émincer à l'aide
d'une mandoline pour obtenir de très fines
tranches. Les mettre dans un grand bol
et submerger d'eau froide. Faire tremper
pendant quelques heures afin de réduire la
quantité de sucre contenue dans les patates.
Retirer les tranches de l'eau et les éponger.
Les étendre sur une plaque au besoin
pour s'assurer qu'elles sont bien asséchées.
Faire chauffer l'huile dans une friteuse ou dans
une casserole très profonde et faire monter
la température jusqu'à 360 °F ou 185 °C
(un thermomètre à friture est de mise). Y jeter
doucement les tranches asséchées et les laisser
frire jusqu'à ce qu'elles deviennent dorées.
Retirer et déposer sur un papier absorbant.
Saupoudrer généreusement du mélange
d'épices mexicaines!

L'union de ces deux chefs-d'œuvre est tellement marquante que j'en viens à me demander pourquoi elle ne fait pas partie d'emblée de nos références « salées-sucrées » ! Au même titre que le gâteau au fromage ou le caramel à la fleur de sel… Si, après avoir essayé cette recette, vous constatez que cette combinaison n'a pas encore réussi à se tailler une place parmi les incontournables mariages gourmets, j'en conclurai que trop peu d'épicuriens auront lu ce livre ! Voilà tout !

GRILLED-CHEESE AU MASCARPONE ET À L'ÉRABLE

POUR 1 SANDWICH
2 tranches épaisses de pain au lait ou pain brioché
1 c. à s. de mascarpone
1 c. à s. de beurre d'érable
Pépites d'érable
Beurre

Faire griller les deux tranches de pain légèrement, étendre le mascarpone sur une tranche et le beurre d'érable sur l'autre, ajouter quelques pépites d'érable, question d'apporter du croquant, et fermer. Badigeonner généreusement de beurre sur les deux côtés du sandwich et faire griller dans une poêle comme un *grilled-cheese* classique en s'assurant de ne pas trop écraser. Et puis, oui, vous savez maintenant ce que goûte le ciel !

COMMENT BAPTISE-T-ON UN SANDWICH qui provoque
une onde de choc instantanée chez tous ceux qui y croquent ?
Les yeux grands comme des soucoupes, stupéfaits, estomaqués,
ébahis, troublés, désorientés, émus, le sourire qui déchire
les joues… voilà à quoi ressemblent les novices qui s'y aventurent ●
Sachant cela, je pense à un seul mot : décadence !

LE DÉCADENT

POUR 2 SANDWICHS
4 tranches épaisses de pain
blanc moelleux de type
brunch bread
Beurre
Nutella
Beurre d'arachide
6 tranches de bacon bien cuit
et croustillant

Ce sandwich est tout sauf modéré… Mettre les régimes de côté pour la journée et badigeonner allègrement les deux tranches de pain avec du beurre mou. Puis, du côté non beurré, étendre une généreuse couche de Nutella sur une tranche et du beurre d'arachide sur l'autre, mettre 3 tranches de bacon au centre et faire griller comme un *grilled-cheese* sur une plaque ou dans une poêle en s'assurant de ne pas écraser le sandwich. Soyez patient, il saura devenir doré et croustillant tout seul !

Allez, allez… Qu'est-ce que vous attendez, c'est le temps de croquer !

Qui a dit que le « sans gluten » était ennuyeux ? Personne n'a dit « sans gras » ni « sans sucre » ● Détrompez-vous ! On parle ici de brownies de course : fondants et chocolatés dans le tapis, et juste assez salés pour nous faire rebondir jusqu'au ciel !

BROWNIES
SANS GLUTEN

Pour 12 brownies environ

350 g de chocolat noir 60 % ou 70 % de première qualité (Valrhona, Barry…)

300 g de beurre

275 g de sucre en poudre

6 œufs

50 g de poudre d'amandes

50 g de farine tout usage sans gluten

1 c. à t. de fleur de sel ou sel de Maldon

Préchauffer le four à 350 °F.

Faire fondre le chocolat et le beurre au bain-marie, mélanger. Ajouter le sucre en battant pour bien amalgamer les 3 ingrédients. Continuer avec les œufs un à un. Bien mélanger. Finir avec la poudre d'amandes et la farine. Verser la préparation dans un moule d'environ 35 cm × 22 cm × 5 cm. Saupoudrer de sel uniformément. Cuire 25 minutes au centre du four.

À la sortie du four, le centre du « gâteau » ne sera pas tout à fait figé… Ne vous inquiétez surtout pas. En reposant à la température de la pièce pendant au moins 1 heure, les brownies obtiendront la texture ultime… Moelleuse et envoûtante !

À 8 heures, avant d'aller travailler, un matin où on a « snoozé » un peu trop longtemps, ou après le lunch santé qui nous rend fier de nous mais qui nous emmerde un peu quand même, ou entre tous les repas, question de se donner un petit coup de fouet physique et mental… Ces boules sont bonnes pour le corps, pour le cœur et pour l'esprit !

BOULES DE FEU

Pour environ 22 boules

4 c. à s. de beurre d'amandes
75 g de flocons de noix de coco
75 g de graines de tournesol
50 g de baies de goji
60 g de noix de macadam
75 g d'amandes rôties non salées
75 g de graines de citrouille
75 g de raisins secs
7 dattes dénoyautées
6 c. à s. d'huile de noix de coco extra vierge
5 c. à s. de cacao cru
1 c. à t. de sel de Maldon

Mettre tous les ingrédients dans le robot culinaire et pulser jusqu'à obtention d'une pâte texturée. Créer des boules de taille moyenne (environ 3 bouchées ou de la grosseur d'une balle de golf, par exemple). Conserver au frigo.

OPTION HOUMPF

Saupoudrer les boules de feu de poudre de noix de coco grillée. (Je fais griller des flocons de noix de coco et les mouds ensuite au moulin à café.)

QUAND J'ÉTAIS AU SECONDAIRE, il y avait en face de l'école un casse-croûte qui vendait les meilleures brioches à la cannelle que j'ai mangées de ma vie ● J'allais m'en acheter une au moins trois fois par semaine et je demandais qu'on me la coupe en deux, qu'on la fasse griller et qu'on y ajoute du beurre… Pas besoin de vous dire que je ne suis pas devenue épicurienne par hasard, ça me coule dans les veines depuis l'enfance ! En revanche, au fil des années, ce n'est pas que je sois devenue blasée, mais l'expérience m'a donné d'autres idées ● Aujourd'hui, j'y ajoute une boule de crème glacée ● La gourmandise est sans fin…

BUNWICH À LA CRÈME GLACÉE AUX POMMES

POUR 8 À 12 BUNWICHS

PÂTE
2 ½ tasses de farine
    non blanchie
¼ tasse de sucre
1 c. à t. de levure
    instantanée (levure
    de boulanger)
⅛ c. à t. de sel
4 c. à s. de beurre fondu
2 œufs à température
    de la pièce
½ tasse de babeurre
    à température de la
    pièce (buttermilk)
Huile de pépins de raisin

CRÈME GLACÉE
AUX POMMES*
3 jaunes d'œufs
50 g de fructose
¾ tasse de lait
1 ½ tasse de crème 35 %
2 pommes rouges
25 g de beurre
1 c. à s. d'eau
50 g de cassonade

FARCE
1 tasse de cassonade
2 c. à t. de cannelle
½ tasse de beurre
Raisins sultana
    (facultatif)

GLAÇAGE
¼ tasse de beurre
100 g de fromage
    à la crème
250 g de sucre en
    poudre
½ gousse de vanille

⌣ S'y prendre la veille
    pour préparer la pâte
    à brioches et la crème
    glacée.

* Pour que la crème glacée
reste crémeuse plus
longtemps, il est possible
d'ajouter un stabilisateur,
comme le cremodan 30,
la farine de caroube, de
stab 2000 ou autre en
suivant les quantités
recommandées.

Mettre tous les ingrédients secs de la pâte dans le bol d'un batteur électrique (ou encore procéder aux mêmes étapes « à la main » en augmentant le temps de pétrissage). Tout en laissant le crochet pétrisseur (dough hook) actionné, ajouter le beurre, les œufs et le babeurre. Laisser la machine faire son travail pendant 5 à 10 minutes. Enduire un grand bol d'huile de pépins de raisin et y déposer la boule de pâte. Recouvrir de papier cellophane et laisser lever à température ambiante pendant toute la nuit (de 8 à 12 heures).

Préparer ensuite la crème qui servira à faire la crème glacée, parce qu'elle devra également passer la nuit au réfrigérateur. Commencer par couper les pommes en petits cubes. Faire fondre le beurre dans une poêle. Ajouter l'eau et la cassonade. Laisser fondre le sucre complètement et ajouter les pommes. Laisser caraméliser à feu très doux pendant environ 10-15 minutes. Réserver au réfrigérateur.

Pour la crème, fouetter les jaunes d'œufs avec le fructose jusqu'à ce que la préparation double en volume et devienne jaune pâle. Réserver.

Faire chauffer le lait et la crème doucement dans une casserole. Dès que le premier bouillon apparaît, verser ce liquide sur le mélange d'œufs et de sucre tout en fouettant rapidement. Remettre dans la casserole et faire chauffer tranquillement jusqu'à ce que la préparation épaississe et qu'elle puisse napper le dos une cuillère. Incorporer les pommes caramélisées et refroidies et transférer dans un bol, couvrir et placer au réfrigérateur pour la nuit (de 8 à 12 heures).

Le lendemain matin, transférer la boule de pâte sur une surface enfarinée et la replier 2 ou 3 fois sur elle-même. Étendre au rouleau à pâte jusqu'à environ ½ cm d'épaisseur. Mélanger la cassonade et la cannelle et saupoudrer sur toute la surface de la pâte. Finir en arrosant uniformément de 4 c. à s. du beurre fondu. Ajouter des raisins sultana si désiré. Rouler la pâte très serré en commençant par le côté le plus long du rectangle. Couper le rouleau en tronçons d'environ 5-6 cm, pour 8 ou 12 brioches. Les disposer dans un plat beurré en laissant un peu d'espace entre chacune. Verser le reste du beurre sur le dessus, recouvrir d'un linge humide ou d'un papier cellophane, et laisser lever à température de la pièce environ 2 heures. Enfourner à 350 °F pendant 20 minutes.

Mélanger tous les ingrédients du glaçage (idéalement au robot culinaire). Sortir les brioches du four et laisser refroidir quelques minutes avant d'étaler le glaçage. Réserver au froid.

Transférer la crème anglaise dans un bol à sorbetière et actionner. (Suivre les instructions du marchand.) Transférer dans un plat hermétique et... direction congélateur !

MONTAGE

Couper une brioche en deux à l'horizontale et faire griller l'intérieur à la poêle dans une noix de beurre. Mettre une généreuse boule de crème glacée entre les deux tranches de brioche grillée ! Savourer de préférence en compagnie d'enfants, idéalement dans un endroit idyllique, qu'il soit urbain ou rural, mais certainement lorsqu'il fait entre 20 et 30 °C !

SELON MON « ACOLYTE » GOURMAND, le meilleur sandwich à la crème glacée
au monde se vend à New York ● Le voici.

SANDWICH NYC À LA CRÈME GLACÉE

(gloutonnerie de Mathieu Laverdière)

POUR 4 SANDWICHS

CRÈME GLACÉE À LA VANILLE*
1 ½ tasse de crème 35 %
¾ tasse de lait
1 gousse de vanille
3 jaunes d'œufs
100 g de sucre en poudre

Beurre clarifié
    (recette p. 105) ou ghee pur
    (sans ajout d'épices)
8 tranches de pain brioché
Cassonade
Beurre

☽ S'y prendre la veille pour
    préparer la crème glacée.

* Pour que la crème glacée reste
crémeuse plus longtemps, il est
possible d'ajouter un stabilisateur,
comme le cremodan 30, la farine
de caroube, de stab2000 ou autre
en suivant les quantités
recommandées.

CRÈME GLACÉE

Faire chauffer la crème et le lait doucement (ne pas porter à ébullition). Ajouter l'intérieur de la gousse de vanille. Pendant ce temps, fouetter les jaunes d'œufs avec le sucre jusqu'à obtention d'une mousse jaune pâle. Lorsque le mélange de crème et de lait est chaud, verser tranquillement sur le mélange d'œufs et de sucre tout en continuant de fouetter. Remettre dans la casserole et faire chauffer à feu doux jusqu'à ce que la préparation épaississe et qu'elle puisse napper le dos d'une cuillère. Mettre dans un plat hermétique et réfrigérer au moins 12 heures. Le lendemain, transférer la préparation dans une sorbetière et suivre les instructions du manufacturier. Conserver au congélateur, évidemment !

Faire fondre le beurre clarifié dans une grande poêle profonde et y faire griller les tranches de pain des deux côtés. Réserver. Faire fondre doucement 4 c. à s. de cassonade dans une poêle. Lorsque le sucre a fondu, ajouter 2 c. à s. de beurre, mélanger, déposer les tranches de pain et les laisser caraméliser des deux côtés. (Faire griller deux tranches de pain brioché à la fois dans une poêle, répéter donc les quantités données pour le mélange de beurre clarifié, de cassonade et de beurre pour chaque deux tranches de pain.)

MONTAGE

Déposer une belle grosse boule de crème glacée entre deux tranches de brioche caramélisée !

Ce sandwich procure bien entendu une explosion d'émotions lorsqu'il est dégusté sur l'île de Manhattan. Mais je vous promets que l'impact n'en sera pas moins saisissant s'il est savouré sous le toit de votre humble demeure… surtout parce qu'il aura été confectionné à la main !

Quand j'étais en Angleterre, j'ai découvert le rituel du *afternoon tea*, pour lequel j'ai eu un coup de foudre instantané, tout particulièrement pour la version qu'on appelle le *cream tea*, soit un thé noir accompagné d'un scone aux raisins chaud, de crème caillée (*clotted cream*) et, généralement, de confiture de myrtilles ou de fraises ● Cette tradition fait partie du quotidien de bon nombre d'Anglais, et on comprend pourquoi… Cette pause permet de décompresser, de savourer le moment présent l'espace d'une heure ou deux, et, bien sûr, de récompenser notre cœur et notre corps avec ces délectables gâteries ! La crème caillée est une crème très épaisse provenant de lait non pasteurisé qui a été chauffé lentement et qui a ensuite reposé de 12 à 24 heures ● Les « caillots » de crème remontent à la surface, et c'est cette partie seulement qu'on récupère pour agrémenter chaque bouchée des scones fraîchement sortis du four ! Je vous rassure, l'apparence n'a rien du « caillé » qu'on connaît ; elle se rapproche beaucoup plus d'un glaçage au beurre ! Ici, je propose une version au goût du livre et au goût du jour, tout en restant inspirée par les classiques du vieux pays.

YORKSHIRE PUDDING AU CARAMEL BRÛLÉ, *CLOTTED CREAM* ET BAIES D'ARGOUSIER

Pour 8 ou 10 *puddings*
(Un moule à 12 muffins est nécessaire.)

Yorkshire pudding
Beurre
4 œufs à température de la pièce
115 g de farine
250 ml de lait à température de la pièce
125 g de sucre en poudre

Caramel
1 tasse de sucre en poudre
2 c. à s. de sirop de maïs
65 ml d'eau
½ tasse de crème 35 %
2 c. à s. de beurre
1 pincée de sel de Maldon

Crème caillée (*clotted cream*)
Baies d'argousier fraîches ou
    décongelées

Préchauffer le four à 425 °F. Beurrer un moule à muffins et enfourner au centre du four le temps de mélanger tous les ingrédients sauf le beurre. Sortir le moule chaud du four et remplir chaque espace aux trois quarts. Remettre au four 15 minutes, puis baisser la température à 375 °F pendant 15 autres minutes.

Pendant ce temps, préparer le caramel. Faire fondre le sucre avec le sirop de maïs et l'eau dans un chaudron à feu moyen. Ne pas mélanger. Si des cristaux se forment sur les côtés de la casserole, les glisser vers le bas à l'aide d'une cuillère mouillée. Lorsque le caramel devient brun foncé et commence à sentir légèrement le brûlé (environ 10 à 15 minutes), incorporer la crème et le beurre, puis fouetter rapidement hors du feu jusqu'à ce que la sauce devienne homogène. Ajouter le sel et laisser reposer.

Montage
Dans le trou, au centre du *Yorkshire Pudding*, déposer une généreuse cuillère de crème, puis une cuillère de caramel brûlé, et finir avec quelques baies d'argousier ! Et puis ?

TARTELETTES PORTUGAISES AU CITRON MEYER (STYLE *PASTEIS DE NATA*)

(recette de ma maman)

(Un moule à 12 muffins
est nécessaire.)

1 paquet de pâte feuilletée du
  commerce surgelée, déjà abaissée
  et vendue en rouleau
Cannelle en poudre
½ tasse de sucre
3 c. à s. de fécule de maïs
Zeste de 1 citron Meyer
4 jaunes d'œufs
1 œuf entier
¾ tasse de crème 35 %
½ tasse de jus de citron Meyer
⅓ tasse d'eau
2 c. à s. de sirop de maïs

Placer la grille au centre du four et préchauffer à 525 °F.

Dérouler la pâte feuilletée, décongelée mais toujours froide, sur une surface enfarinée. À l'aide d'un rouleau, abaisser la pâte. Avec un emporte-pièce correspondant à la grandeur des petits moules, découper des rondelles de pâte et tapisser chaque moule à muffin en remontant les rebords. Presser la pâte pour la faire adhérer au fond et au pourtour. Saupoudrer un peu de cannelle au fond de chaque tartelette. Réserver au réfrigérateur pendant la préparation de la garniture.

Dans une casserole hors du feu, mélanger le sucre, la fécule et le zeste de citron. Ajouter les jaunes d'œufs et l'œuf entier, puis battre jusqu'à obtention d'une crème lisse.

Ajouter la crème, le jus de citron, l'eau et le sirop de maïs. Porter à ébullition en brassant sans arrêt. Bien racler le fond et les parois de la casserole. Continuer de remuer et cuire doucement jusqu'à ce que le mélange ait épaissi et qu'il soit homogène. Retirer du feu et laisser tiédir.

À l'aide d'une petite louche, remplir les fonds de pâte feuilletée et lisser le dessus.

Cuire de 10 à 12 minutes. La garniture doit être légèrement caramélisée et la pâte, croustillante. Si le four ne monte pas jusqu'à 525 °F, finir la cuisson sous le gril (*broil*) quelques secondes seulement, question de bien dorer le dessus des tartelettes.

Sortir du four et laisser tiédir. Démouler. À déguster chaudes ou froides.

AVEZ-VOUS DÉJÀ MANGÉ un *churro* au *dulce de leche* dans les rues des villes mexicaines, espagnoles ou même argentines ? En Espagne, un arrêt incontournable pour moi a toujours été le stand à *churros* ● Ils sont frais, chauds, croquants et divinement remplis de confiture de lait… C'est cochon, c'est bon, c'est les vacances ! Ici, je métamorphose le *churro* en sandwich à la crème glacée… Juste parce que…

CHURRO-WICHS À LA CRÈME GLACÉE AU *DULCE DE LECHE*

POUR ENVIRON 8 *CHURRO-WICHS*
(Utiliser une poche à douille avec un embout large, rond et lisse.)
CRÈME GLACÉE AU *DULCE DE LECHE**
1 boîte de lait concentré sucré
½ tasse de crème 35 %
1 ½ tasse de lait
3 jaunes d'œufs
50 g de sucre en poudre
¾ tasse de *dulce de leche*
   (plus 6 c. à s. pour la fin)
1 pincée de sel de Maldon

⌐ *S'y prendre la veille pour préparer la crème glacée.*

* *Pour que la crème glacée reste crémeuse plus longtemps, il est possible d'ajouter un stabilisateur, comme le cremodan 30, la farine de caroube, de stab2000 ou autre en suivant les quantités recommandées.*

CHURROS
½ tasse de lait
½ tasse d'eau
½ tasse de beurre
1 tasse de farine
1 pincée de sel
5 œufs
Huile de canola
4 c. à s. de sucre
1 c. à s. de cannelle

D'abord, le *dulce de leche*. Dans le fond d'un chaudron profond, installer un linge à vaisselle et y déposer la boîte de lait concentré. Couvrir d'eau en dépassant le dessus de la boîte de 1 po ou 2. Porter l'eau à ébullition, puis baisser légèrement le feu. Laisser frémir, et non bouillir, pendant 3 heures. Une fois le temps écoulé, retirer la boîte de l'eau et laisser refroidir complètement avant d'ouvrir. Transférer dans un pot Mason et conserver au froid.

Pour la crème glacée, faire chauffer la crème et le lait doucement (ne pas porter à ébullition). Pendant ce temps, fouetter les jaunes d'œufs avec le sucre jusqu'à obtention d'une mousse jaune pâle. Lorsque le mélange de crème et de lait est chaud, le verser tranquillement sur le mélange d'œufs et de sucre tout en continuant de fouetter. Remettre dans le chaudron et faire chauffer à feu doux jusqu'à ce que la préparation épaississe et qu'elle puisse napper le dos d'une cuillère. Ensuite, incorporer les ¾ de tasse de *dulce de leche* et transférer dans un plat hermétique, mettre au frigo pendant au moins 12 heures.

Le lendemain, verser cette préparation dans une sorbetière et suivre les instructions du manufacturier. Une fois que la crème glacée a bien pris, ajouter les 6 c. à s. de *dulce de leche* avec 1 pincée de sel de Maldon, mais ne pas amalgamer complètement… On aime voir les filets de caramel dans la crème glacée !

Maintenant, il est temps de s'attaquer aux *churros*. Dans un chaudron moyen, faire chauffer le lait, l'eau et le beurre. Lorsque le beurre a complètement fondu, ajouter la farine et le sel, et fouetter vigoureusement hors du feu. Laisser refroidir sur le comptoir, puis incorporer les œufs un à un. Transférer cette préparation dans une poche à douille munie d'un embout large, rond et lisse. Sur un papier parchemin, faire des spirales avec la pâte pour créer des cercles d'environ 4 po (10 cm) de diamètre. Placer au congélateur de 15 à 30 minutes pour que les cercles gardent leur forme lorsqu'ils seront jetés dans l'huile.

Faire chauffer l'huile dans une friteuse ou dans une grande poêle profonde. La température de l'huile doit se situer autour de 350 °F ou 180 °C (un thermomètre à friture est de mise).

Mélanger le sucre et la cannelle dans un petit bol et réserver.

Déposer les spirales de pâte à *churros* dans l'huile chaude et laisser frire. Retirer lorsqu'elles sont bien dorées et croustillantes, déposer sur un papier absorbant et saupoudrer du mélange de sucre et de cannelle.

MONTAGE
Déposer une belle grosse boule de crème glacée au *dulce de leche* entre deux spirales de *churro*. *Para chuparse los dedos !*

TARTELETTES PORTUGAISES À L'ÉRABLE ET À L'ORANGE (STYLE *PASTEIS DE NATA*)

(recette de ma maman)

(Un moule à 12 muffins
est nécessaire.)

1 paquet de pâte feuilletée du
   commerce surgelée, déjà abaissée
   et vendue en rouleau
½ tasse de sucre d'érable râpé
   très finement
3 c. à s. de fécule de maïs
Zeste de 1 orange (passée à
   la microplane de préférence)
4 jaunes d'œufs
1 œuf entier
¾ tasse de crème 35 %
½ tasse de lait
½ tasse de sirop d'érable
2 c. à s. de sirop de maïs

Placer la grille au centre du four et préchauffer à 525 °F.

Dérouler la pâte feuilletée, décongelée mais toujours froide, sur une surface enfarinée. À l'aide d'un rouleau, abaisser la pâte. Avec un emporte-pièce correspondant à la grandeur des petits moules, découper des rondelles de pâte et tapisser chaque moule à muffin en remontant les rebords. Presser la pâte pour la faire adhérer au fond et au pourtour. Réserver au réfrigérateur pendant la préparation de la garniture.

Dans une casserole hors du feu, mélanger le sucre, la fécule et le zeste d'orange. Ajouter les jaunes d'œufs et l'œuf entier, puis battre jusqu'à obtention d'une crème lisse.

Ajouter la crème, le lait, le sirop d'érable et le sirop de maïs. Porter à ébullition en brassant sans arrêt. Bien racler le fond et les parois de la casserole. Continuer de remuer et cuire doucement jusqu'à ce que le mélange ait épaissi et qu'il soit homogène. Retirer du feu et laisser tiédir.

À l'aide d'une petite louche, remplir les fonds de pâte feuilletée et saupoudrer un peu de sucre d'érable dessus.

Cuire de 10 à 12 minutes. La garniture doit être légèrement caramélisée et la pâte, croustillante. Si le four ne monte pas jusqu'à 525 °F, finir la cuisson sous le gril (*broil*) quelques secondes seulement, question de bien dorer le dessus des tartelettes.

Sortir du four et laisser tiédir. Démouler. À déguster chaudes ou froides.

LES MAYONNAISES

Mayonnaise de base*
1 jaune d'œuf
1 c. à t. de moutarde de Dijon
½ c. à t. de sriracha
    (ou autre type de sauce piquante)
1 c. à s. de vinaigre (blanc, xérès
    ou cidre)
Poivre blanc en grains
Sel
¾ tasse d'huile de canola

Mélanger tous les ingrédients,
sauf l'huile, dans un bol et
incorporer très lentement (en
filet) l'huile de canola tout en
fouettant vigoureusement le
mélange de jaune d'œuf jusqu'à
ce que la mayonnaise prenne
la consistance voulue.

*Il est possible de faire la mayonnaise au
batteur électrique (genre KitchenAid) ou au
mélangeur. Dans ce cas, vous pouvez utiliser
l'œuf entier.*

Mayonnaise hoisin
100 g de mayonnaise de base
    (recette ci-dessus)
2 c. à s. de sauce hoisin
1 c. à t. de sriracha

Mélanger les ingrédients.
Conserver au froid.

Mayonnaise au raifort
1 portion de mayonnaise de base
    (recette ci-contre)
1 c. à s. de raifort
1 c. à s. de jus de lime

Mélanger les ingrédients.
Conserver au froid.

Mayonnaise au piment d'Espelette
1 portion de mayonnaise de base
    (recette ci-contre) faite en remplaçant
    le vinaigre par 1 ½ c. à t. de vinaigre
    de xérès
1 c. à t. de jus de lime
6 g d'ail des bois ou de jeune ail
½ c. à t. de piment d'Espelette
1 pincée de sel

Mélanger les ingrédients.
Conserver au froid.

Mayonnaise au citron
1 portion de mayonnaise de base
    (recette ci-contre)
Zeste de 1 citron

Récupérer le zeste du citron à
l'aide d'une microplane (outil
essentiel dans toute cuisine) et
l'ajouter à la mayonnaise avec
1 c. à s. de son jus.

Mayonnaise au bacon
1 jaune d'œuf
¼ c. à t. de moutarde de Dijon
½ tasse d'huile de pépins de raisin
    ou de canola
¼ tasse de gras de bacon refroidi
1 c. à t. de jus de citron
1 c. à t. de vinaigre de xérès
2 tranches de bacon grillées et émiettées
½ c. à t. de piment d'Alep
Sel et poivre

Monter la mayonnaise à partir
de la technique de base. Dans
un mélangeur électrique ou
à main, mettre le jaune d'œuf,
la moutarde et quelques gouttes
d'huile de canola. Commencer
à fouetter rapidement tout en
versant le reste de l'huile en
mince filet, puis continuer avec
le gras de bacon. Ajouter le reste
des ingrédients. Assaisonner
au goût !

Dijonnaise
¼ tasse de mayonnaise de base
    (recette ci-contre)
¼ tasse de moutarde de Dijon
1 c. à t. de raifort (facultatif)
Sel et poivre

Mélanger les ingrédients.
Conserver au froid.

Aïoli sans œuf

¼ tasse de lait
½ gousse d'ail
1 c. à t. de vinaigre de cidre (ou blanc)
½ c. à t. de moutarde de Dijon
Sel et poivre
½ tasse d'huile de canola

Mettre tous les ingrédients, sauf l'huile, dans le mélangeur électrique et l'actionner tout en versant l'huile très doucement en filet mince (exactement le même principe qu'une mayonnaise avec œuf). Vous verrez, l'émulsion se fera rapidement et vous obtiendrez la même texture riche et onctueuse qu'avec les recettes habituelles !

Mayonnaise à l'ail confit

5 gousses d'ail en robe
1 c. à s. d'huile d'olive
100 g de mayonnaise de base
  (recette ci-contre)
2 c. à s. de ciboulette fraîche
Sel et poivre en grains

Créer une petite barquette de papier d'aluminium et y déposer les gousses d'ail et l'huile d'olive. Fermer en papillote et faire confire au four à 400 °F environ 45 minutes. Laisser refroidir, puis presser les gousses pour en retirer la pulpe. Mélanger avec la mayonnaise, la ciboulette finement hachée, le sel et le poivre au goût.

LES SAUCES

SAUCE AU XÉRÈS

30 g de beurre
100 g de poireaux hachés
2 échalotes françaises
5 petits cornichons au vinaigre
1 c. à t. de vinaigre de xérès
7 c. à s. (10 cl) de xérès (sherry)
7 c. à s. (10 cl) de crème 35 %
1 c. à t. de moutarde de Dijon
¼ c. à t. de sriracha
Mayonnaise de base (recette p. 98)

Faire chauffer le beurre dans une grande poêle. Ajouter les poireaux et les échalotes françaises hachées finement. Faire suer à feu très doux jusqu'à ce que les légumes soient transparents et presque en purée. Ajouter les cornichons hachés en minuscules cubes, le vinaigre et le sherry (ou du vin blanc). Faire réduire l'alcool quelques minutes et ajouter la crème. Laisser épaissir environ 5 minutes à feu moyen. Ajouter la moutarde de Dijon et la sauce sriracha, assaisonner au goût.
Passer cette sauce au tamis, question de récupérer seulement le liquide fin et savoureux. Laisser refroidir au réfrigérateur environ 1 heure.
Mélanger la sauce au xérès avec de la mayonnaise de base à parts égales... Voilà !

SAUCE À L'ANETH

¼ tasse de lait
½ gousse d'ail
1 c. à t. de jus de citron
½ c. à t. de moutarde de Dijon
Sel et poivre
½ tasse d'huile de canola
Aneth

Préparer de l'aïoli sans œuf (recette p. 99) mais en remplaçant le vinaigre par du jus de citron. Finir avec 1 c. à s. d'aneth frais haché.

SAUCE ROUGE

2 poivrons rouges
40 g de noix de macadam
4 feuilles de basilic
20 g de fromage gorgonzola
½ tasse d'huile de noix
⅓ petit piment fort (piment oiseau)

Faire griller les poivrons sous le gril du four (broil) en les tournant sur eux-mêmes de façon à bien calciner toute la peau. Les passer à l'eau froide et retirer la peau calcinée, les pédoncules et les graines. Faire rôtir les noix de macadam et les mettre au robot culinaire avec le reste des ingrédients pour créer une alliance divine !
Cette sauce peut servir de trempette, de sauce pour pâtes ou de sauce à hamburger !

SAUCE AU CHIPOTLE

100 g de crème fraîche 40 %
20 g de chipotle (environ un chipotle
  en boîte)
40 g de fromage à la crème
Zeste de 1 lime
Sel

Assembler tous les ingrédients
  au mélangeur ou à la cuillère,
  et... *de-lishhh*!

SAUCE AU MASCARPONE

60 g de mascarpone
20 g de crème fraîche 40 %
½ c. à t. de piments forts italiens
  dans l'huile (Viagra del Calabrese
  ou autre)
Zeste de 1 orange
1 c. à t. de jus d'orange
¼ c. à t. de sel
1 c. à t. d'huile de noix

Assembler tous les ingrédients
  au mélangeur ou à la main.
  Cette sauce peut envelopper
  vos pâtes chaleureusement,
  servir d'accompagnement
  séduisant à des légumes crus
  ou cuits, et bien sûr flirter
  onctueusement avec le pain
  de tous vos sandwichs!

CRÈME DE CITRON

50 g de crème fraîche 40 %
50 g de crème sure
15 g de citron confit
1 petit filet d'anchois
½ c. à t. de ponzu
1 pincée de safran (facultatif)
Sel et poivre

Mélanger tous les ingrédients
  dans le mélangeur. Saler et
  poivrer au goût.

MOUSSE DE RAIFORT

30 g de fromage à la crème
50 g de crème fraîche 40 %
10 g de raifort crémeux
Sel et poivre

Mélanger tous les ingrédients.
  Saler et poivrer au goût.

SAUCE BÉCHAMEL

2 c. à s. de beurre
2 c. à s. de farine
1 tasse de lait ou de bouillon de bœuf
Poivre de Cayenne et sel au goût

Dans une casserole assez
  profonde, faire fondre le beurre
  à feu moyen et ajouter la farine.
  Battre au fouet rapidement et
  laisser frémir 1 minute. Ajouter
  le lait ou le bouillon très
  doucement tout en continuant
  de fouetter la préparation
  jusqu'à ce qu'elle épaississe.
  Assaisonner au goût.

MOUSSE DE MAÏS

2 épis de maïs avec leur enveloppe
6 tasses d'eau
½ c. à t. de sel
20 g de beurre
1 c. à t. de crème fraîche 40 %
Poivre au goût

Récupérer les feuilles des épis de
  maïs et les faire griller au four
  sur une tôle à 400 °F jusqu'à ce
  qu'elles deviennent dorées.
Pendant ce temps, détacher les
  grains des épis avec un couteau
  bien aiguisé. Réserver.
Faire bouillir 6 tasses d'eau dans
  un grand chaudron et y plonger
  les 2 épis dénudés de leurs
  grains et cassés, puis les feuilles
  grillées. Laisser frémir à feu
  moyen pendant environ 1 heure.
  Récupérer le liquide seulement
  à l'aide d'un tamis.
Prendre 4 tasses de cette eau de
  blé d'Inde et porter à ébullition
  avec les grains et ½ c. à t. de sel.
  Baisser le feu et laisser frémir
  tranquillement jusqu'à
  l'évaporation complète de l'eau.
Transférer les grains imbibés de
  saveur dans le robot culinaire
  avec le beurre. Pulser pour
  obtenir une mousse bien riche,
  ajouter la crème et le poivre au
  goût.

MARMELADE, GELÉE ET CONFITURE

Marmelade de kumquat
25 kumquats
200 g de sucre
500 ml d'eau
½ c. à t. de sel

Nettoyer les kumquats et les couper en fines rondelles en tentant de retirer le plus de graines possible. Les transférer dans un chaudron épais et profond avec le sucre, l'eau et le sel. Porter à ébullition, puis baisser le feu et laisser mijoter doucement pendant environ 1 heure. Conserver au réfrigérateur.

Gelée de pimbinas
(recette de ma grand-maman Lucille)
8 tasses de pimbinas
Sucre blanc

Mettre les pimbinas dans un grand chaudron et ajouter de l'eau jusqu'à la surface des fruits. Amener à ébullition et écraser les baies à l'aide d'un pilon. Laisser bouillir environ 5 minutes. Transférer dans une étamine et laisser égoutter toute la nuit au-dessus d'un grand bol*.

* Si vous manquez de patience, vous pourriez faire comme ma grand-mère et tordre l'étamine au maximum à plusieurs reprises pendant 3 ou 4 heures. Quand vous jugez que celle-ci a libéré sa dernière goutte, passez à la prochaine étape sans laisser reposer toute la nuit.

Le lendemain, bien tordre l'étamine pour en extraire le plus de jus possible. Remettre le jus dans le chaudron et porter à ébullition. C'est maintenant qu'il faut s'armer de patience et commencer à faire réduire le jus tout en écumant avec une cuillère à trous. Cette étape est nécessaire pour éviter d'obtenir une gelée trouble et trop amère. Lorsqu'il n'y a plus d'écume qui se forme (environ 30 minutes), mesurer la quantité de jus clair obtenue avec une tasse à mesurer.

Remettre dans le chaudron avec ¾ de tasse de sucre pour chaque tasse de jus. Porter à ébullition et écumer au besoin. Laisser bouillir jusqu'à ce que la gelée prenne, les bouillons deviendront épais (environ 15-20 minutes). Pour savoir à quel moment arrêter la cuisson, il faut mettre une petite goutte sur l'ongle du pouce : si la goutte fige et reste en place, la gelée est prête à transférer dans des pots stérilisés.

Confiture de tomates
500 g de tomates rouges
100 g de fructose
1 citron
1 c. à t. de sauce piquante
   (sriracha ou autre)

Faire blanchir les tomates dans une grande casserole d'eau bouillante pendant 30 secondes, les rincer immédiatement à l'eau froide, puis enlever la peau et les pépins. Les déposer dans un plus petit chaudron avec le sucre, le citron et la sauce piquante. Porter à ébullition et laisser frémir jusqu'à l'obtention de la texture voulue (confiture).

CHUTNEY DE RHUBARBE AU SAFRAN

75 g d'oignon rouge
   (1 petit oignon)
1 gousse d'ail
1 c. à t. de beurre
Eau
75 g de sucre de noix de coco
   (ou de cassonade)
400 g de rhubarbe fraîche
   ou congelée et coupée en tronçons

1 c. à t. de garam masala
   (ou mélange de cumin,
   clou de girofle, muscade,
   poivre noir, graines de coriandre
   et cannelle)
½ c. à t. de sel
1 c. à s. de jus de citron
2 grosses pincées de safran

Faire revenir l'oignon et l'ail dans un peu de beurre et ajouter 1 c. à s. d'eau. Lorsque les oignons sont translucides et que l'eau s'est évaporée, ajouter le sucre de noix de coco et laisser fondre environ 5 minutes. Ajouter le reste des ingrédients, bien mélanger, porter à ébullition et, finalement, baisser le feu à moyen-doux. Laisser mijoter 45 minutes.

KIMCHI*

14 tasses d'eau
2 tasses de sel de mer
700 g de chou chinois (2 choux)
200 g de radis chinois ou daikon
40 g d'oignons verts hachés
   grossièrement
50 g de sel
½ tasse de poudre de piment rouge
Eau
16 g d'ail haché
6 g de gingembre haché
¾ tasse de sauce de poisson
50 g de sucre
1 ½ c. à s. de paprika fumé

* Le kimchi doit être préparé au moins 7 jours à l'avance. Si vous voulez éviter de faire le kimchi à la maison, il est également possible de se le procurer dans la plupart des épiceries asiatiques.

Mélanger l'eau et le sel de mer dans un très grand bol, couper les choux en quatre et les tremper dans l'eau salée pendant quelques minutes. Ensuite, transférer le chou mouillé dans un deuxième grand bol (genre cul-de-poule), couvrir et laisser dégorger toute la nuit couvert et à température de la pièce. Le lendemain, nettoyer les feuilles de chou et les couper en tranches d'environ 2-3 cm. Couper le radis chinois et les oignons verts en julienne de taille moyenne.

Mélanger le sel et la poudre de piment avec un peu d'eau pour créer une pâte. Bien mélanger cette pâte aux radis et oignons verts, ajouter l'ail, amalgamer tous les autres ingrédients et masser chaque feuille de chou avec cette préparation. Disposer le kimchi de préférence dans un grand bocal en verre ou, si on suit la tradition coréenne, dans un bol en terre cuite. Laisser fermenter à température ambiante et à l'abri de la lumière pendant au moins 7 jours, voire quelques semaines. Mettre le kimchi au réfrigérateur. Commencer la dégustation 2 jours plus tard !

LES HUILES ET LE BEURRE

HUILE DE CIBOULETTE

1 gros bouquet de ciboulette fraîche
1 tasse d'huile d'olive
Sel et poivre

Laver, sécher et couper
la ciboulette en rondelles
minuscules. Mettre dans un
mélangeur avec l'huile d'olive,
le sel et le poivre. Pulser à haute
intensité quelques minutes.
Laisser reposer au
réfrigérateur pendant au moins
1 heure. Passer au tamis fin pour
récupérer seulement l'huile
verte et savoureuse.
Verser en filet sur un poisson
grillé, des légumes croquants, du
veau BBQ ou à l'intérieur d'un
club sandwich au homard. Vous
découvrirez ce qui distingue
l'ordinaire de l'extraordinaire !

HUILE D'HERBES

10 g de menthe
15 g de coriandre
20 g de basilic
20 g de persil
15 g de fleur d'ail
¾ tasse d'huile de pépins de raisin
  (plus 1 c. à t. pour la cuisson)
¼ tasse d'huile d'olive
¼ c. à t. de sel

Laver et hacher toutes les herbes
et les faire revenir à la poêle de
30 à 60 secondes dans 1 c. à t.
d'huile de pépins de raisin (l'idée
n'est pas de les ramollir ni de les
brunir, mais de libérer les arômes,
il est donc important de ne pas
dépasser le temps de cuisson).
Les mettre au réfrigérateur
15 minutes dans un petit bol.
Les transférer dans le mélangeur
électrique avec le reste des
ingrédients et pulser jusqu'à
l'obtention d'une sauce verte.
Placer au réfrigérateur pendant
au moins 6 heures. Passer au
tamis fin pour recueillir l'huile
divine.

HUILE DE TOMATE

2 grosses tomates bien mûres
½ tasse d'huile d'olive
1 petit piment fort
Sel et poivre

Laver les tomates, les couper en
morceaux et les mettre dans
un chaudron avec les autres
ingrédients. Saler et poivrer
généreusement. Porter à
ébullition. Ensuite, baisser le
feu et laisser frémir doucement
environ 30 minutes. Transférer
dans un contenant en brisant
les tomates avec le dos d'une
cuillère pour permettre à l'huile
d'absorber le maximum de
saveur et réfrigérer pendant
12 heures. Passer au tamis fin et
récupérer la merveilleuse huile
dorée !

Verser en filet sur du poisson grillé, des pâtes, un risotto ou même
un bon steak. La couleur et la
saveur de cette huile peuvent
facilement vous procurer une
étoile supplémentaire de la part
de vos invités. ;-)

BEURRE CLARIFIÉ

Faire du beurre clarifié à la maison
est très simple. Il s'agit de faire
fondre la quantité de beurre
désirée dans une casserole à
feu très doux, puis de retirer la
mousse blanche qui se forme
à la surface. On récupère le
liquide jaune au fond et on
l'utilise pour les cuissons à
température élevée.

LÉGUMES CONFITS ET MARINÉS

Citrons confits
1 ½ tasse de gros sel
¼ tasse de sucre
6 citrons
2 branches de romarin
Graines de coriandre
1 bâton de cannelle
Poivre noir en grains
1 gros contenant en verre stérilisé

Mélanger ½ tasse de sel et tout le sucre. Découper chaque citron en 6 parts sans les détacher des extrémités. Remplir chaque fente du mélange sel-sucre et les mettre dans un grand bocal (ils doivent être tassés les uns sur les autres). Ajouter les branches de romarin en les glissant le long du pot. Faire bouillir 1 tasse d'eau avec les aromates et verser sur les citrons avec le reste du gros sel (les aromates peuvent varier au goût : anis étoilé, clou de girofle…). Placer le bocal dans un endroit ombragé (armoire, placard, etc.) et patienter de 4 à 6 semaines.

Carottes marinées
3 grosses carottes coupées
    en fine julienne
1 c. à s. de sel
100 g de sucre blanc (plus 1 c. à s.)
¾ tasse d'eau
¾ tasse de vinaigre blanc ou de riz

Commencer par faire dégorger les carottes dans un bol avec 1 c. à s. de sel et 1 c. à s. de sucre pendant 30 minutes, question d'en faire extraire l'eau. Rincer. Transférer dans un grand bol, ajouter le reste des ingrédients et laisser mariner au moins 1 heure avant l'utilisation.

Oignon mariné
1 tasse d'eau
1 tasse de vinaigre blanc ou de riz
½ c. à t. de sel
½ c. à t. de poivre
½ c. à t. de graines de coriandre
1 oignon rouge émincé

À l'exception de l'oignon, mettre tous les ingrédients dans un petit chaudron et porter à ébullition. Laisser frémir 4-5 minutes et ensuite verser sur l'oignon émincé que vous aurez placé dans un plat hermétique. Conserver au froid.

Poivron mariné
1 poivron rouge, jaune ou orange
1 c. à s. d'huile d'olive
¼ c. à t. de piments forts italiens dans
    l'huile (Viagra del Calabrese ou autre)
Sel et poivre au goût

Faire griller le poivron dans le four à 500 °F (*broil*) en le retournant de façon à faire calciner la peau tout autour. Laisser refroidir, puis enlever la peau. Le couper en deux et retirer la tige et les graines. Couper en fines lamelles et faire mariner dans un bol avec le reste des ingrédients.

Tomates confites
4 tomates italiennes
Huile d'olive
1 gousse d'ail
Sel et poivre

Chauffer le four à 225 °F. Faire blanchir les tomates dans un grand chaudron d'eau bouillante pendant 30 secondes. Les passer immédiatement à l'eau froide et enlever la peau. Les couper en deux et retirer les pépins et toute l'eau contenue à l'intérieur. Les étaler sur une plaque allant au four tapissée de papier parchemin et arroser d'un filet d'huile d'olive. Ajouter la gousse d'ail en fines tranches. Saler et poivrer généreusement. Laisser confire pendant au moins 3 heures. Selon leur grosseur, elles peuvent mettre jusqu'à 6 heures pour atteindre l'état « quasi-bonbon » tant désiré. Si vous préférez accélérer le processus, vous n'avez qu'à augmenter la température du four (250-275 °F).

Jicama mariné
200 g de jicama
1 c. à s. de vinaigre de riz
1 c. à s. de jus de lime
1 c. à t. de sucre
1 c. à t. de sel

Couper le jicama en fine julienne et mettre dans un bol avec le reste des ingrédients. Garder au froid.

LES PESTOS

PESTO DE CHOU FRISÉ (*KALE*)

1 botte de chou frisé (*kale*) lavé
1 tasse de parmigiano reggiano râpé
¾ tasse de pacanes grillées
1 tasse d'huile d'olive
Sel et poivre

Amalgamer tous les ingrédients au robot culinaire jusqu'à l'obtention d'une crème riche et texturée d'un vert vivant et alléchant.

PESTO DE CORIANDRE

40 g de coriandre fraîche
10 g d'arachides décortiquées et grillées
15 g de noix de coco grillée et hachée
1 ½ c. à s. d'huile de noix
3 ½ c. à s. d'huile de pépins de raisin
1 c. à t. de jus de lime
Sel et poivre

Mettre tous les ingrédients au robot culinaire et bien amalgamer. Si la texture est trop dense, ajouter de l'huile de pépins de raisin au goût !

PESTO D'AIL DES BOIS
(OU JEUNE AIL AVEC TIGES)

2 c. à t. de miel
2 c. à s. de jus de citron
30 g de parmigiano reggiano
50 g de noisettes grillées sans la peau
2 tiges d'ail des bois ou de jeune ail (120 g)
60 g de persil italien
2 filets d'anchois
⅔ tasse d'huile d'olive
¼ tasse d'huile de pépins de raisin
Poivre

Mettre tous les ingrédients au robot culinaire et bien amalgamer. Si la texture est trop dense, ajouter de l'huile de pépins de raisin au goût !

PESTO DE RAPINI

120 g de rapinis débarrassés de leurs grosses feuilles et bouts de tiges
50 g d'amandes grillées
¼ tasse d'huile de pépins de raisin
3 c. à t. de jus de citron
45 g de ricotta salata (ricotta salée et vieillie)
3 c. à s. d'huile d'olive
15 g de persil italien
Poivre
Sel de légumes (Herbamare)

Faire bouillir de l'eau et y plonger les rapinis pendant 30 secondes. Les passer immédiatement à l'eau froide pour arrêter la cuisson, les sécher et les transférer dans le bol d'un robot culinaire avec le reste des ingrédients. Pulser jusqu'à l'obtention d'un beau pesto onctueux ! Assaisonner au goût. Assurez-vous de goûter avant d'y ajouter du sel parce que la ricotta salata est déjà particulièrement salée.

PAIN DE CAMPAGNE

3 ½ tasses de farine non blanchie
¼ c. à t. de levure instantanée
   (levure de boulanger)
1 ½ c. à t. de sel
1 ½ tasse d'eau
Huile d'olive

Utiliser le crochet pétrisseur à pain (*dough hook*) d'un batteur électrique, mettre tous les ingrédients sauf l'eau dans le bol du batteur. Bien amalgamer. En laissant tourner le batteur, verser l'eau doucement. Continuer de mélanger avec l'outil de pétrissage pendant 5-8 minutes environ. Sinon, pour faire le pain à la main, suivre les mêmes étapes mais en mélangeant les ingrédients dans un grand bol. Finir en pétrissant avec les mains environ 10 minutes.

Enduire un grand bol d'huile d'olive et y déposer la boule de pâte. Couvrir de papier cellophane et laisser lever à température de la pièce pendant 12 heures*.

Préparer une surface de travail en saupoudrant de farine, retirer la pâte du bol et pétrir en la repliant sur elle-même 3 ou 4 fois. Remettre la pâte dans le bol huilé en couvrant du papier et laisser reposer 30 minutes.

Reprendre la pâte et former une boule. L'envelopper dans un linge en coton recouvert de farine. Il faut créer un film entre la pâte et le coton pour éviter qu'elle ne colle. Laisser à température ambiante pendant environ 1 heure… La pâte doublera de volume.

Préchauffer le four au maximum de sa capacité (500-525 °F).

Réchauffer un plat en fonte émaillée (genre Le Creuset) de taille moyenne dans le four pendant 30 minutes.

Mettre la boule de pâte dans le plat, couvrir et remettre au four sur la grille du milieu pendant 30 minutes encore. Vous verrez, votre pain sera bien doré et croustillant. Après quelques heures sur le comptoir, la croûte ramollira. Dans ce cas, le remettre au four à la même température un peu avant de servir, environ 5 minutes. Déposer le pain directement sur la grille ou sur du papier d'aluminium et placer la grille au centre ou plus haut.

* Si vous manquez de patience, il est également possible de faire monter votre pâte pendant 6 heures au lieu de 12 en doublant la quantité de levure (½ c. à t.).

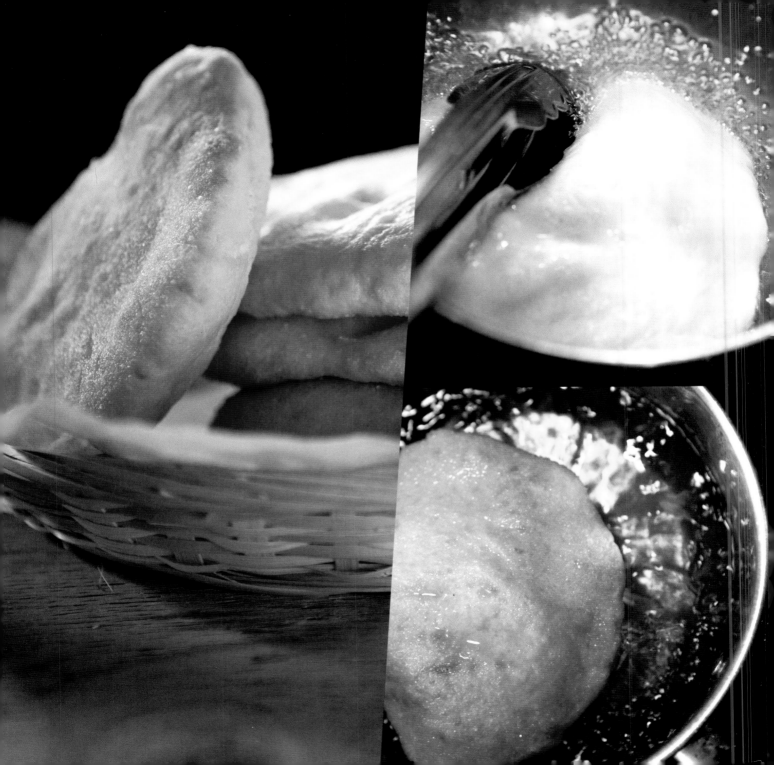

ORIGINAIRE DE NAPLES, cette pâte à pizza frite peut servir de base sucrée ou salée à une variété infinie d'idées gourmandes ! Dans ce livre, je m'en sers comme d'un pain : je la coupe en deux à l'horizontale et la garnis de saveurs et de fraîcheurs !

PIZZE FRITTE

POUR ENVIRON 8 *PIZZE*

2 c. à s. d'huile d'olive

1¼ tasse d'eau

40 g de levure de bière

500 g de farine non blanchie
    (3⅓ tasses)

3 c. à t. de sel

Huile de canola
    ou huile d'olive pure

Utiliser le crochet pétrisseur à pain (*dough hook*) d'un batteur électrique. Mélanger l'huile d'olive, l'eau et la levure dans un bol et réserver. Mettre la farine et le sel dans le bol du batteur électrique et incorporer le mélange de liquide tout en laissant rouler le batteur à vitesse moyenne. Continuer de mélanger avec l'outil de pétrissage pendant environ 2 minutes.

Sinon, pour faire la pâte à la main, suivre les mêmes étapes mais en mélangeant dans un grand bol. Finir en pétrissant avec les mains environ 4 minutes.

Transférer la pâte dans un grand bol huilé, couvrir de papier cellophane et laisser lever à température de la pièce de 1 à 2 heures. Former des boules (donne environ 8 *pizze*) et réfrigérer.

Faire chauffer l'huile à environ 375 °F ou 190 °C dans une grande poêle profonde ou dans une friteuse (il est toujours préférable d'avoir un thermomètre à friture).

Avec les boules de pâte, former des disques épais de la taille d'un 45 tours (pour ceux qui n'auraient pas connu ce format, des ronds au diamètre de 15 à 17 cm environ) et faire frire jusqu'à ce qu'ils deviennent gonflés et bien dorés !

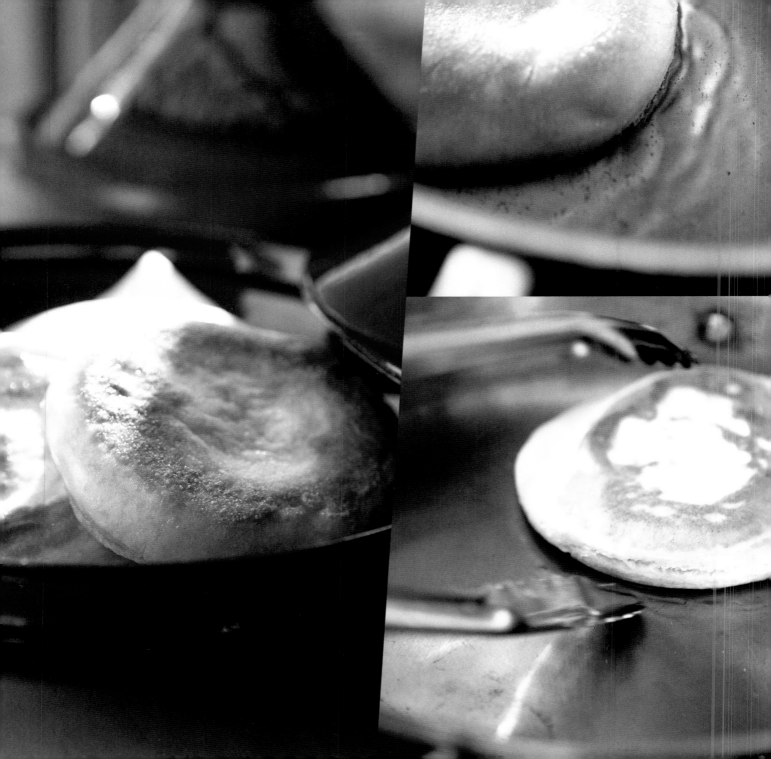

PAIN MAROCAIN

Pour environ 4 pains
250 g de semoule fine
100 g de farine non blanchie
½ c. à t. de sel
1 c. à s. de levure instantanée
   (levure de boulanger)
¾ tasse d'eau
1 c. à t. d'huile de canola
1 c. à t. d'huile d'olive

Utiliser le crochet pétrisseur à pain (*dough hook*) d'un batteur électrique. Mélanger tous les ingrédients secs dans le bol du batteur, ajouter la levure et finir en versant l'eau doucement. Continuer de mélanger avec l'outil de pétrissage pendant environ 2 minutes.

Sinon, pour faire le pain à la main, mélanger tous les ingrédients secs dans un grand bol et y ajouter l'eau tranquillement. Finir en pétrissant avec les mains environ 4 minutes. Si le mélange est trop sec et ne parvient pas à s'amalgamer, ajouter un peu d'eau.

Abaisser la pâte sur une surface enfarinée à l'aide d'un rouleau jusqu'à environ 5 cm d'épaisseur, puis créer des disques de 15 cm avec un emporte-pièce ou un couteau. Les étaler sur une grande feuille de papier parchemin, recouvrir de papier cellophane et laisser lever 1 heure à température de la pièce.

Faire chauffer 1 c. à t. d'huile de canola et 1 c. à t. d'huile d'olive, y déposer les disques de pâte et faire cuire des deux côtés jusqu'à ce qu'ils soient bien dorés.

PAIN AU FROMAGE
SANS GLUTEN

2 ¼ tasses de farine tout usage sans gluten (Purely Bulk ou La Maison Cannelle sont de délicieuses options)

1 c. à s. de fécule d'arrow-root (ou fécule de pomme de terre ou de tapioca)

½ c. à t. de gomme de xanthane

1 ½ c. à t. de levure instantanée (levure de boulanger)

1 c. à t. de sel

1 ¼ tasse de lait

¼ tasse de beurre

2 œufs

120 g de fromage en grains

100 g de gruyère en petits cubes

Mélanger la farine, la fécule, la gomme de xanthane, la levure et le sel dans le bol d'un batteur électrique ou dans un grand bol avec fouet. Réchauffer le lait avec le beurre quelques secondes au four micro-ondes et verser tranquillement dans le mélange sec tout en laissant le batteur actionné. Une fois tous les ingrédients combinés, ajouter les œufs et continuer de fouetter pendant 2-3 minutes. Couvrir d'un papier cellophane et laisser lever quelques heures à température de la pièce. Lorsque la préparation a doublé, incorporer le fromage en grains et le gruyère et transférer dans un contenant antiadhésif allant au four ou un plat en fonte émaillée (moule à pain rectangulaire de préférence). Couvrir encore de papier cellophane et laisser lever une seconde fois sur le comptoir pendant 1 à 2 heures.

Enfourner à 375 °F pendant 25 à 30 minutes. Vérifier la cuisson en piquant avec une fourchette à fondue ou un cure-dent au centre de la miche (il doit en ressortir sec).

PAIN NAN

Pour 5 pains

2 c. à s. d'eau tiède

1 ½ c. à t. de levure instantanée
   (levure de boulanger)

1 c. à t. de sucre

2 tasses de farine

½ c. à t. de sel

½ tasse de babeurre

¼ tasse de lait tiède

3 c. à s. de beurre fondu
   ou de ghee pur (45 g)

Dans un petit bol, mélanger l'eau tiède, la levure et le sucre, et laisser mousser sur le comptoir de 5 à 10 minutes. Mettre la farine et le sel dans le bol d'un batteur électrique. Sinon, pour faire le pain à la main, suivre les mêmes étapes en augmentant le temps de pétrissage. Avec le crochet pétrisseur (*dough hook*) actionné, incorporer le babeurre et le lait tiède, le beurre fondu et le mélange d'eau et de levure. Pétrir pendant 5 minutes. Si le mélange reste trop sec, ajouter ½ c. à s. de beurre fondu. Transférer la pâte dans un bol huilé, recouvrir de papier cellophane et laisser lever à température de la pièce de 3 à 4 heures.

Une fois la pâte bien gonflée, la sortir du bol et pétrir encore 1 minute. Couper en 5 morceaux et former des boules. Les aplatir au rouleau à pâte pour obtenir des ovales. Préchauffer le four à 500 °F (*broil*) et réchauffer une tôle pendant 5 minutes. Beurrer ou huiler la tôle et y déposer les pains nan. Faire griller directement sous le gril du four. Lorsque les pains ont gonflé et grillé, les retourner pour finir la cuisson de l'autre côté.

Sortir du four et beurrer généreusement des deux côtés.

PAIN NAN VÉGÉTALIEN AU CURCUMA

POUR 6 PAINS

4 c. à s. d'eau tiède

1 ½ c. à t. de levure
instantanée
(levure de boulanger)

1 c. à t. de sucre

2 ¼ tasses de farine non
blanchie

1 ½ c. à t. de sel

1 ½ c. à t. de curcuma
en poudre

1 ½ c. à s. d'huile de pépins
de raisin

¾ tasse de yogourt de soya

Dans un petit bol, mélanger l'eau tiède, la levure et le sucre, et laisser mousser sur le comptoir de 5 à 10 minutes. Mettre la farine, le sel et le curcuma dans le bol d'un batteur électrique. Sinon, pour faire le pain à la main, suivre les mêmes étapes en augmentant le temps de pétrissage. Avec le crochet pétrisseur (*dough hook*) actionné, incorporer le mélange d'eau et de levure, l'huile et le yogourt. Pétrir pendant environ 5 minutes. Si le mélange reste trop sec, ajouter ½ c. à s. d'huile. Transférer la pâte dans un bol huilé, recouvrir de papier cellophane et laisser lever à température de la pièce de 3 à 4 heures.

Une fois la pâte bien gonflée, la sortir du bol et pétrir encore 1 minute. Ensuite, couper en 6 morceaux et former des boules. Les aplatir au rouleau à pâte pour obtenir des ovales. Préchauffer le four à 500 °F (*broil*) et réchauffer une tôle pendant 5 minutes. Huiler la tôle et y déposer les pains nan. Faire griller directement sous le gril du four et, lorsque les pains ont gonflé et grillé, les retourner pour finir la cuisson de l'autre côté.

Sortir du four et badigeonner généreusement d'huile de pépins de raisin des deux côtés.

BUNS VAPEUR
« À LA CHINOISE »

POUR 6 PETITS PAINS
(Nécessite un panier en bambou
pour la cuisson à la vapeur.)

1 ½ tasse de farine non blanchie

1 ½ c. à t. de levure instantanée
(levure de boulanger)

1 ½ c. à t. de sucre

½ c. à t. de sel

¾ tasse de lait tiède

1 c. à s. d'huile de pépins de raisin
ou d'huile végétale

Mélanger tous les ingrédients secs dans le bol d'un batteur électrique. Sinon, pour faire le pain à la main, suivre les mêmes étapes en augmentant le temps de pétrissage. Faire chauffer le lait avec l'huile végétale légèrement et verser dans le mélange sec tout en laissant le crochet pétrisseur actionné. Pétrir pendant 5 minutes. Transférer la pâte dans un plat huilé, couvrir de papier cellophane et laisser lever à température de la pièce au moins 2 heures.

Frapper fermement la boule de pâte gonflée avec le poing pour en évacuer l'air et recommencer le pétrissage quelques secondes.

Étendre la pâte sur une surface enfarinée et créer un rouleau que vous couperez ensuite en 6 morceaux. Avec ces morceaux de pâte, faire des boules et abaisser légèrement avec le rouleau pour former des ovales. Badigeonner d'huile de pépins de raisin et plier en deux. Les déposer sur des petits morceaux de papier parchemin et les laisser lever dans votre panier de bambou recouvert d'un papier cellophane. Il est important d'être patient pour s'assurer d'obtenir des *buns* bien dodus. Tout dépendant de la température ambiante, vous pouvez attendre jusqu'à 1 heure ou même 2 avant de les cuire.

Faire chauffer un peu d'eau dans un chaudron et placer le panier sur le dessus. Laisser les *buns* cuire jusqu'à ce qu'ils soient bien gonflés et bien cuits dans le centre, environ 5 minutes.

PAIN D'ÉPICES SANS GLUTEN

(recette de ma maman)

⅔ tasse de beurre clarifié (recette p. 105) ou de ghee pur (sans ajout d'épices)

⅓ tasse de cassonade

¾ tasse de miel de sarrasin

⅔ tasse de lait

2 œufs

1 ¼ tasse de farine tout usage sans gluten (Purely Bulk ou La Maison Cannelle sont de délicieuses options)

1 c. à s. de poudre à pâte

1 c. à t. de bicarbonate de sodium (soda à pâte)

1 pincée de sel

½ tasse de poudre d'amandes

1 c. à t. de cannelle

1 c. à t. de clou de girofle moulu

1 c. à t. de cardamome moulue

1 c. à t. de gingembre moulu

1 c. à s. de graines d'anis grillées et broyées au mortier

Préchauffer le four à 350 °F.

Beurrer et enfariner un moule à pain ou un moule à gâteau rectangulaire.

Dans une petite casserole, faire fondre le beurre, la cassonade et le miel dans le lait sans trop les chauffer.

Laisser refroidir avant d'y ajouter les œufs et de battre pour mélanger le tout.

Pendant ce temps, mettre tous les autres ingrédients dans un grand bol et mélanger.

Incorporer le mélange liquide aux ingrédients secs en brassant délicatement.

Verser dans le moule et cuire 40 minutes avant de vérifier la cuisson en piquant le centre du pain avec une fourchette à fondue ou un cure-dent (il doit en ressortir sec), sinon prolonger la cuisson de quelques minutes.